AS 100 MELHORES LENDAS
DO FOLCLORE BRASILEIRO

A. S. FRANCHINI

AS 100 MELHORES LENDAS
DO FOLCLORE BRASILEIRO

L&PM
EDITORES

Texto de acordo com a nova ortografia.

1ª edição: verão de 2011
7ª reimpressão: outubro de 2025

Capa: Marco Cena
Revisão: Marianne Scholze e Patrícia Rocha

CIP-Brasil. Catalogação na Fonte
Sindicato Nacional dos Editores de Livros, RJ

F89c

Franchini, A. S. (Ademilson S.), 1964-
    As 100 melhores lendas do folclore brasileiro / A. S. Franchini. – Porto Alegre, RS: L&PM, 2025.

    200p.; 23 cm
    Inclui bibliografia
    ISBN 978-85-254-2087-9

    1. Folclore - Brasil. 2. Índios do Brasil - Lendas. 3. Conto folclórico - Brasil. I. Título. II. Título: As 100 melhores lendas do folclore brasileiro.

10-6230.   CDD: 398.20981
                            CDU: 398.2(81)

© Ademilson S. Franchini, 2011

Todos os direitos desta edição reservados a L&PM Editores
Rua Comendador Coruja, 314, loja 9 – Floresta – 90.220-180
Porto Alegre – RS – Brasil / Fone: 51.3225-5777

Pedidos & Depto. Comercial: vendas@lpm.com.br
Fale conosco: info@lpm.com.br
www.lpm.com.br

Impresso no Brasil
Inverno de 2025

SUMÁRIO

PARTE I – LENDAS INDÍGENAS
Os Filhos do Trovão – (Saga dos tárias – I)... 11
Os tárias aprendem a fazer embarcações – (Saga dos tárias – II).................. 13
A primeira navegação dos tárias – (Saga dos tárias – III) 15
Buopé, o nobre guerreiro – (Saga dos tárias – IV)....................................... 17
Maire-monan e os três dilúvios... 19
A vingança de Maire-Pochy 22
O cocar de fogo e os gêmeos míticos 24
A onça e o raio... 27
Konewó e as onças 29
O Uirapuru... 34
O surgimento da noite... 36
A cabeça que virou lua.. 39
O furto do fogo 43
Como surgiu o Oiapoque 45
Os potes da noite.. 47
O gavião e o dilúvio 50
A conversão de Aukê 53
Koieré, o machado cantante.. 56
Por que onça não gosta de gente... 58
O sapo e a onça 60
As pernas curtas do tamanduá ou Por que onça não gosta de tamanduá 62
Como surgiram as doenças 64
Como surgiram as estrelas.. 66
O batismo das estrelas 67
A pescaria das mulheres... 69
A cura da velhice 72
Como surgiram os bichos.. 75
A escada de flechas.. 77
A vitória-régia.. 79
Bahira e o rapto do fogo 80
A máscara da sucuri... 82
Como surgiu o dia 84
Por que a terra treme 87
A primeira cobra 89

Como os kaiapós desceram do céu 91
O surgimento da plantação 92
O surgimento dos peixes 95
O jacaré e o mutum 96
O índio que queria matar o sono 98
A vida humana 99
O japim plagiador 100

PARTE II – CONTOS TRADICIONAIS
A raposa carente 105
O pequeno homem 107
A moura torta 110
A raposinha 113
João gurumete 116
A raposa e o tucano 119
O padre despreocupado 120
A caveira falante 122
A princesa de bambuluá 124
A menina dos brincos de ouro 128
Os quatro ladrões 130
Aventuras de Pedro Malazarte I 132
Aventuras de Pedro Malazarte II 135
Aventuras de Pedro Malazarte III 137
O coelho e a tartaruga 140
O touro e o homem 142
O decreto da paz 144
O adivinho 145
O casamento da mãe-d'água 146
Os três gigantes negros 149
Cobra-norato 151
A festa no céu 153
O Negrinho do Pastoreio 156
O quero-quero 158
O pulo do gato 159

PARTE III – PERFIS
Alamoa 163
Alma-de-gato 164
Anhangá 165
Boitatá 166

Boto 167
Bradador 168
Bruxa 169
Cabeça de cuia 170
Cabra-cabriola 171
Cachorra da palmeira 173
Caipora 174
Capelobo 175
Carbúnculo 176
Cavalo-marinho 177
Chibamba 178
Chupa-cabra 179
Cuca 180
Curupira 181
Gorjala 182
Iara 183
Ipupiara 184
Jurupari 185
Labatut 186
Lobisomem 187
Loira do banheiro 188
Mapinguari 189
Mula sem cabeça 190
Pai do mato 191
Pisadeira 192
Princesa de Jericoacoara 193
Quibungo 194
Saci-pererê 195
Tutu 197
Zumbi 198

Bibliografia 199

NOTA

O termo "lendas" utilizado no título desta obra aplica-se em sentido amplo, uma vez que o livro é composto por lendas, contos populares e perfis de personagens. Todos os textos são recriações pessoais das histórias que a tradição consagrou, com os acréscimos mínimos e inevitáveis de toda "recontagem", mas que, em momento algum, descaracterizam a história original.

O livro está dividido em três seções: nas duas primeiras temos lendas indígenas e contos populares, enquanto na terceira estão esboçados os perfis de algumas das mais importantes criaturas monstruosas ou entidades sobrenaturais do folclore brasileiro.

Nosso folclore pode ser definido como uma imensa obra aberta, enriquecida pela contribuição das mais diversas etnias. Quase não há conto popular corrente entre nós, por exemplo, que não seja uma adaptação de contos de fadas europeus ou de lendas africanas. Como, porém, além de serem belas e engraçadas, essas histórias estão definitivamente incorporadas ao arsenal da nossa literatura oral, seria uma tolice pretender excluí-las pelo simples fato de serem importadas.

Aquilo que possuímos de mais autêntico em nosso folclore, contudo, são as nossas lendas indígenas. Por essa razão, dediquei-lhes uma seção especial, mesmo que elas sejam praticamente desconhecidas do nosso povo. Estou certo de que a leitura destas histórias divertidas e originais dará ao leitor uma nova e surpreendente visão da extraordinária cultura de nossos verdadeiros ancestrais.

E assim, no conjunto, espero ter reunido um bom apanhado de tudo quanto o nosso povo foi capaz de criar e também de assimilar do grande repertório universal da narrativa oral e popular.

Uma boa leitura.

PARTE I
LENDAS INDÍGENAS

OS FILHOS DO TROVÃO

(SAGA DOS TÁRIAS - I)

A lenda da origem dos tárias, ou filhos do Trovão (também ditos filhos do Sangue do Céu) está longe de ser a mais famosa das nossas lendas indígenas. Contudo, é, seguramente, uma das mais interessantes, razão pela qual foi escolhida para abrir esta pequena mas representativa amostra da extraordinária capacidade imaginativa dos nossos verdadeiros ancestrais.

Os tárias – ou tarianas – eram uma tribo do rio Uaupés, situado no Amazonas. Segundo os estudiosos, a palavra "tária" deriva de "trovão", elemento genésico primordial dessa tribo.

Vamos, pois, à originalíssima lenda que conta a origem dos tárias.

Diz, então, que num tempo muito antigo o Trovão deu um estrondo tão forte que o Céu rachou e começou a gotejar sangue. O sangue caiu em cima dele próprio, Trovão – aqui entendido como um ente personalizado –, e secou sobre o seu corpo. Algum tempo se passou e o Trovão trovejou outra vez, e o sangue que estava sobre ele virou carne. Mais adiante, um novo trovejar fez com que a carne se desprendesse do seu corpo e fosse cair sobre a Terra. Ao tocar o solo, a carne se despedaçou em mil pedaços, e estes pedaços se transformaram em gente – homens e mulheres.

Assustadiços por natureza, os filhos do Trovão correram logo a se meter no interior da primeira gruta, assim que anoiteceu (eles eram ignorantes das coisas da Terra, então, ao verem o sol desaparecer, imaginaram que ele nunca mais retornaria).

Quando começou a amanhecer, porém, tiveram uma grata surpresa: o céu voltava, pouco a pouco, a tomar uma coloração vermelha, sob o efeito da luz do sol.

Eles observaram o sol subir ao céu e, quando ele chegou ao zênite, sentiram fome. No alto de uma árvore, viram, então, um pássaro alimentando-se de um fruto.

– Façamos o mesmo! – disse um dos filhos do Trovão.

Para uma primeira frase, não estava nada mal. Demonstrava prudência aliada a uma boa observação.

Os tárias – já podemos chamá-los assim – subiram na mesma árvore e foram comer dos mesmos frutos com os quais a ave se alimentava. Empanturraram-se até a noite voltar, quando todos, assaltados novamente pelo medo, foram se meter no interior da gruta.

No dia seguinte, bem cedo, treparam outra vez na árvore para saciar a fome. Debaixo dela, surgiram dois cervos, macho e fêmea, que também começaram a se alimentar dos frutos que caíam. Dali a pouco, um dos cervos montou sobre o outro, e os dois esqueceram-se de tudo o mais.

– O que estão fazendo? – disse um dos tárias, que ainda ignorava as coisas deste mundo.

Eles observaram bem e retornaram para o interior da gruta. Ninguém conseguia esquecer o que se passara entre os cervos, e estavam todos extraordinariamente inquietos.

Durante a noite, a Mãe do Sono – uma das tantas *Cys*, as mães divinas indígenas de tudo quanto há na mata – visitou-os em sua gruta para contar-lhes quem eles eram. Depois, transformou-os em cervos, e eles foram correndo para baixo da árvore repetir alegremente o que o casal de cervos de verdade havia feito.

Quando o dia amanheceu, os pares ainda estavam abraçados, um homem para cada mulher.

E foi assim que os tárias deram início à sua gloriosa descendência.

OS TÁRIAS APRENDEM A FAZER EMBARCAÇÕES

(SAGA DOS TÁRIAS – II)

A lenda dos tárias é tão interessante quanto uma saga islandesa, e comporta vários episódios. Como tantas outras lendas extraviadas mundo afora, só não goza do reconhecimento universal porque lhe faltou quem a desenvolvesse em amplos e vibrantes painéis.

Como vimos no primeiro conto, os tárias surgiram do Trovão e aprenderam a se reproduzir observando as práticas sexuais dos cervos. (Eles haviam sido metamorfoseados pela Mãe do Sono naqueles mesmos animais, recuperando logo depois – é o que se supõe – a antiga forma humana.)

Todas as noites os casais repetiam as práticas aprendidas, de tal modo que não tardaram a surgir seus primeiros filhos. Aos poucos, eles aprenderam também a plantar e a criar animais.

Então, um dia, observando o rio Amazonas, eles pensaram em como poderiam "andar como patos sobre as águas". (A expressão que usaram foi exatamente esta, pois não sabiam ainda o que fosse "navegar".)

Todos os dias eles se postavam às margens do rio e ficavam observando, cheios de admiração, o ir e vir sereno dos patos sobre a água.

– Temos de aprender, também, a caminhar sobre as águas! – disse, um dia, o líder supremo dos tárias.

Os índios, deixando de lado a observação, passaram então à ação.

– Vá, mergulhe e faça como eles! – disse o cacique, atirando na água um dos tárias próximos.

O pobre índio caiu na água e espadanou feito um desesperado, e, se não fossem os demais retirarem-no dali, teria descido ao fundo como uma pedra, sem jamais retornar.

Mas os tárias eram persistentes e continuaram insistindo, até que um dia um deles, bafejado pela sorte, viu passar um pau de bubuia flutuando. Num reflexo feliz, ele agarrou-se ao tronco e imediatamente sentiu que não afundava mais. Depois, com um pouco mais de prática, conseguiu guiar o tronco com as mãos metidas dentro d'água. Então, ele foi para onde quis, e a felicidade inundou sua alma.

Como não havia ninguém por perto para admirar sua façanha, o índio retornou à margem e foi correndo à aldeia comunicar a sua fantástica descoberta.

– Descobri, irmãos, um meio de caminhar sobre as águas! – gritava ele, cheio de orgulho.

Logo ao amanhecer todos foram ver a proeza. O tária atirou-se na água montado em sua boia improvisada e "andou" por todo o rio sem jamais afundar.

E foi assim que os tárias aprenderam a "andar como os patos sobre as águas" e, logo depois, a construir a sua primeira embarcação, amarrando troncos uns nos outros.

A PRIMEIRA NAVEGAÇÃO DOS TÁRIAS

(SAGA DOS TÁRIAS – III)

Continuando com a deliciosa lenda dos tárias, vamos saber agora como os verdadeiros pais da nacionalidade empreenderam a sua primeira e gloriosa navegação.

Depois de terem aprendido a construir uma jangada, os tárias lançaram-se ansiosamente ao rio. Não se sabe ao certo se foi apenas uma ou se foram mais jangadas, mas o certo é que vários indígenas tomaram parte nessa expedição. Consigo levaram um farnel de viagem.

Quando os expedicionários partiram, tudo foi alegria. Porém, quando a última mancha de terra sumiu, eles engoliram em seco.

– A terra sumiu! – disse um dos índios, vagamente alarmado.

O chefe da expedição, porém, não quis retroceder.

– Adiante! – disse ele, apontando o horizonte plano das águas.

Então a coragem retornou aos seus corações, e eles seguiram alegres e confiantes até a noite estrelada desabar subitamente ao seu redor, como uma cortina negra cheia de furos.

Desta vez, o ânimo de todos decaiu assustadoramente.

– Alguém sabe dizer onde estamos? – perguntou o chefe tária, lutando para dar um tom sereno à sua voz.

Naturalmente que, naqueles primórdios da navegação, ainda não havia passado pela cabeça de ninguém dividir tarefas, atribuindo a alguém a função de guia ou piloto. Justamente por isso, todos responderam, numa admirável concordância, que não faziam a menor ideia de onde estavam.

Para piorar as coisas, um vento forte começou a soprar, empurrando-os ainda mais para as horrendas e desconhecidas vastidões do rio. Em três dias acabou a comida e, quando a fome apertou para valer, um dos tárias avistou alguns tapurus (pequenas larvas) nos interstícios da jangada. Ele encheu a mão e enfiou tudo na boca. A careta que fez era de agrado: a comida era boa. As outras mãos colheram avidamente o resto dos tapurus, e assim os índios saciaram por algum tempo a sua fome atroz.

Os viajantes vagaram, sem remo nem rumo, durante várias luas. Então, quando tudo parecia perdido, eles viram, ao longe, a sombra da terra.

– Terra! Terra! – gritou um deles, dando o primeiro grito náutico da história dos tárias.

Os índios desembarcaram num lugar ermo, muito parecido com sua própria terra. Numa euforia de doidos, eles puseram-se a beijar o solo e a cometer outras loucuras típicas de náufragos resgatados. Depois, comeram alguns ovos que encontraram e decidiram fundar uma aldeia ali mesmo.

"Três luas depois, a aldeia estava pronta", diz a crônica original.

BUOPÉ, O NOBRE GUERREIRO

(SAGA DOS TÁRIAS – IV)

A extraordinária saga dos índios tárias chega, agora, ao seu vibrante desfecho. Desta feita ficaremos sabendo como nossos ancestrais tornaram-se grandes conquistadores.

O chefe da primeira expedição náutica dos tárias chamava-se originalmente Ucaiari, passando depois a ser conhecido por Buopé. Ele era um tuixaua, título supremo de um chefe tária, e havia chegado com seus homens numa jangada após navegar sem rumo pelo rio Negro.

Ao colocar os pés em terra, o nobre guerreiro decidira se estabelecer ali.

– Voltar como, se nem sabemos para que lado seguir? – dissera ele aos companheiros.

Convicto disso, o chefe indígena mandou, então, construir uma aldeia e se autoproclamou senhor absoluto da terra, pois assim se fazia em toda parte nos dias antigos.

Em três luas, a nova aldeia estava pronta.

Mas não demorou muito e um dos tárias trouxe ao chefe esta péssima notícia:

– Grande tuixaua, encontrei rastros de pés humanos próximos da aldeia!

Imediatamente nasceu no peito de Buopé a certeza de que estavam sendo vigiados.

– Vamos, então, espionar os espiões! – disse ele, tomando o seu tacape.

Buopé não queria saber de ninguém mais em seus domínios, mesmo que já estivessem ali muito antes dele. Aquela terra, agora, pertencia aos filhos do Sangue do Céu.

Após certificar-se de que as pegadas pertenciam aos membros de uma tribo vizinha, Buopé reuniu rapidamente os seus homens.

– Alegrem-se, teremos guerra! – anunciou ele, e todos puseram-se a confeccionar grandes quantidades de tacapes, arcos, flechas, fundas e o restante de armas então usadas pelos índios.

Uma lua depois, os tárias guerrearam contra os seus inimigos nativos, derrotando-os fragorosamente. Além de conquistarem mais uma boa porção de território, os filhos do Trovão conquistaram também uma porção de mulheres da tribo vencida.

– Agora, já podemos multiplicar o número de tárias! – disse Buopé, em júbilo.

Três anos transcorreram até que Buopé e os seus valorosos guerreiros pudessem entender a língua daquelas mulheres. Quando isso finalmente aconteceu, eles descobriram que outra porção da gente delas vivia num lugar não muito distante dali.

– Levem-nos até lá! – ordenou o tuixaua às mulheres.

Imediatamente, foi organizada uma nova expedição de conquista. Quando "fez mão de lua", ou seja, dentro de cinco luas, Buopé e os seus chegaram ao lugar.

A batalha durou três dias, e ao cabo dela Buopé era, de novo, o vencedor.

– Mais ventres para espalhar a nossa raça! – disse o chefe guerreiro, tomando para si outra vez as mulheres dos inimigos mortos.

E assim o chefe tária foi conquistando todos os povos às margens do rio Negro, até tornar-se senhor absoluto da região. Quando seus filhos ficaram adultos, mandou-os irem guerrear contra as tribos de canibais acima e abaixo do rio.

Buopé tinha o costume de, após matar os seus inimigos, ir até as margens do rio e cuspir dentro de um funil de folha. Depois, lançava-o correnteza abaixo, a fim de chamar magicamente a sua gente distante.

Então, os anos se passaram e ele envelheceu, perdendo finalmente as forças. Uma noite, a Mãe do Sono lhe apareceu outra vez e o fez sonhar que tinha morrido. Buopé viu, por entre as névoas do sonho, que o seu corpo já não fazia mais sombra e que, ao redor dele, todos choravam.

Era o aviso do fim.

O nobre tuixaua reuniu seus filhos, deu-lhes as últimas instruções e, quando o sol surgiu, um beija-flor saiu de dentro do seu peito e disparou em direção ao céu.

O corpo de Buopé foi enterrado numa gruta secreta, cuja localização permanece ignorada. Descendente algum recebeu autorização de ostentar o seu nome glorioso, e todo aquele que pretendeu utilizá-lo, mesmo sob formas disfarçadas e ridículas, sofreu a maldição implacável de tornar-se, por todos os dias da sua vida, um pobre-diabo fracassado e rosnador de maledicências.

MAIRE-MONAN E OS TRÊS DILÚVIOS

Os tupinambás creem que houve, nos primórdios do tempo, um ser chamado Monan. Segundo alguns etnógrafos, ele podia não ser exatamente um deus, mas aquilo que se convencionou chamar de um "herói civilizador".

Deus ou não, o fato é que Monan criou os céus e a Terra, e também os animais. Ele viveu entre os homens, num clima de cordialidade e harmonia, até o dia em que eles deixaram de ser justos e bons. Então, Monan investiu-se de um furor divino e mandou um dilúvio de fogo sobre a Terra.

Até ali a Terra tinha sido um lugar plano. Depois do fogo, a superfície do planeta tornou-se enrugada como um papel queimado, cheia de saliências e sulcos que os homens, mais adiante, chamariam de montanhas e abismos.

Desse apocalipse indígena sobreviveu um único homem, Irin-magé, que foi morar no céu. Ali, em vez de conformar-se com o papel de favorito dos céus, ele preferiu converter-se em defensor obstinado da humanidade, conseguindo, após muitas súplicas, amolecer o coração de Monan.

Segundo Irin-magé, a terra não poderia ficar do jeito que estava, arrasada e sem habitantes.

– Está bem, repovoarei aquele lugar amaldiçoado! – disse Monan, afinal.

A história, como vemos, é tão velha quanto o mundo: um ser superior cria uma raça e logo depois a extermina, tomando, porém, o cuidado de poupar um ou mais exemplares dela, a fim de recomeçar tudo outra vez.

E foi exatamente o que aconteceu: Monan mandou um dilúvio à Terra para apagar o fogo (aqui o dilúvio é reparador) e a tornou novamente habitável, autorizando o seu repovoamento.

Irin-magé foi encarregado de repovoar a Terra com o auxílio de uma mulher criada especialmente para isto, e desta união surgiu outro personagem mítico fundamental da mitologia tupinambá: Maire-monan.

Esse Maire-monan tinha poderes semelhantes aos do primeiro Monan, e foi graças a isto que pôde criar uma série de outros seres – os animais –, espalhando-os depois sobre a Terra.

Apesar de ser uma espécie de monge e gostar de viver longe das pessoas, ele estava sempre cercado por uma corte de admiradores e de pedintes. Ele também tinha o dom de se metamorfosear em criança. Quando o tempo estava muito seco e as colheitas tornavam-se escassas, bastava dar umas palmadas na criança-mágica e a chuva voltava a descer copiosamente dos céus. Além disso,

Maire-monan fez muitas outras coisas úteis para a humanidade, ensinando-lhe o plantio da mandioca e de outros alimentos, além de autorizar o uso do fogo, que até então estava oculto nas espáduas da preguiça.

Um dia, porém, a humanidade começou a murmurar.

– Este Maire-monan é um feiticeiro! – dizia o cochicho intenso das ocas. – Assim como criou vegetais e animais, esse bruxo há de criar monstros e Tupã sabe o que mais!

Então, certo dia, os homens decidiram aprontar uma armadilha para esse novo semideus. Maire-monan foi convidado para uma festa, na qual lhe foram feitos três desafios.

– Bela maneira de um anfitrião receber um convidado! – disse Maire-monan, desconfiado.

– É simples, na verdade – disse o chefe dos conspiradores. – Você só terá de transpor, sem queimar-se, estas três fogueiras. Para um ser como você, isso deve ser muito fácil!

Instigado pelos desafiantes, e talvez um pouco por sua própria vaidade, Maire-monan acabou aceitando o desafio.

– Muito bem, vamos a isso! – disse ele, querendo pôr logo um fim à comédia.

Maire-monan passou incólume pela primeira fogueira, mas na segunda a coisa foi diferente: tão logo pisou nela, grandes labaredas o envolveram. Diante dos olhos de todos os índios, Maire-monan foi consumido pelas chamas, e sua cabeça explodiu. Os estilhaços do seu cérebro subiram aos céus, dando origem aos raios e aos trovões que são o principal atributo de Tupã, o deus tonante dos tupinambás que os jesuítas, ao chegarem ao Brasil, converteram por conta própria no Deus das sagradas escrituras.

Desses raios e trovões originou-se um segundo dilúvio, desta vez arrasador.

No fim de tudo, porém, as nuvens se desfizeram e por detrás delas surgiu, brilhando, uma estrela resplandecente, que era tudo quanto restara do corpo de Maire-monan, ascendido aos céus.

* * *

Depois que o mundo se recompôs de mais um cataclismo, o tempo passou e vieram à Terra dois descendentes de Maire-monan: eles eram filhos de um certo Sommay, e se chamavam Tamendonare e Ariconte.

Como normalmente acontece nas lendas e na vida real, a rivalidade cedo se estabeleceu entre os dois irmãos, e não tardou para que a fogueira da discórdia acirrasse os ânimos na tribo onde viviam.

Tamendonare era bonzinho e pacífico, pai de família exemplar, enquanto Ariconte era amante da guerra e tinha o coração cheio de inveja. Seu sonho era reduzir todos os índios, inclusive seu irmão, à condição de escravos.

Depois de diversos incidentes, aconteceu um dia de Ariconte invadir a choça de seu irmão e lançar sobre o chão um troféu de guerra.

Tamendonare podia ser bom, mas sua bondade não ia ao extremo de suportar uma desfeita dessas. Erguendo-se, o irmão afrontado golpeou o chão com o pé e logo começou a brotar da rachadura um fino veio de água.

Ao ver aquela risquinha inofensiva de água brotar do solo, Ariconte pôs-se a rir debochadamente.

Acontece que a risquinha rapidamente converteu-se num jorro d'água, e num instante o chão sob os pés dos dois, bem como os de toda a tribo, rachou-se como a casca de um ovo, deixando subir à tona um verdadeiro mar impetuoso.

Aterrorizado, o irmão perverso correu com sua esposa até um jenipapeiro, e ambos começaram a escalá-lo como dois macacos. Tamendonare fez o mesmo e, depois de tomar a esposa pela mão, subiu com ela numa pindoba (uma espécie de coqueiro).

E assim permaneceram os dois casais, cada qual trepado no topo da sua árvore, enquanto as águas cobriam pela terceira vez o mundo – ou, pelo menos, a aldeia deles.

Quando as águas baixaram, os dois casais desceram à Terra e repovoaram outra vez o mundo. De Tamendonare se originou a tribo dos tupinambás, e de Ariconte brotaram os Temininó.

A VINGANÇA DE MAIRE-POCHY

A saga dos descendentes de Monan não terminou com os dois irmãos do conto anterior. Depois deles, vieram outros, e dentre esses sobressaiu-se um certo Maire-Pochy.

Apesar da nobre ascendência, Maire-Pochy, por alguma desgraça do destino, nascera votado à infelicidade. Além de servo do cacique, ele era feio e corcunda.

Maire-Pochy gostava de pescar, e certo dia trouxe do rio um belo peixe. Ao vê-lo, a filha do seu amo lambeu os lábios de apetite.

– Que beleza! Tudo faria para saboreá-lo!

Maire-Pochy correu logo a preparar, ele mesmo, o belo peixe no moquém, uma espécie de grelha na qual os índios assam a carne.

O peixe devia ser muito especial, pois tão logo a jovem o comeu, ficou grávida. O menino nasceu com uma rapidez inaudita, e logo o pai da jovem quis saber quem era o pai da criança.

Mas ninguém se apresentou, o que obrigou o cacique a ter uma conversa com o pajé.

– Os miseráveis estão calados, e ninguém quer assumir a paternidade! – disse o morubixaba. – Como hei de saber quem é o pai da criança?

O pajé, porém, que tinha receitas para todos os males, tinha uma também para este.

– É fácil descobrir – disse ele, com uma empáfia serena. – Reúna todos os homens da tribo e os faça desfilar diante da jovem portando seus arcos. Quando o verdadeiro pai se apresentar, a criança tocará o seu arco.

O cacique fez como o pajé dissera, e todos os homens saudáveis da tribo desfilaram diante da jovem com o bebê ao colo. Mais de cem índios, de todos os tamanhos, passaram à frente do bebê, mas ele não tocou o arco de nenhum deles.

Então, o terror cresceu na alma do cacique.

– Será Anhangá, o espírito mau, o pai da criança?

Mas, quando todos já estavam se dispersando, o pajé gritou:

– Esperem! Faltou Maire-Pochy, o corcunda!

Um coro de risos explodiu entre os índios.

– Está brincando? – exclamou o cacique ao pajé.

– Ele é um homem saudável, apesar da aparência – disse o pajé. – Que desfile também!

Então Maire-Pochy desfilou diante da índia e de seu bebê. Assim que ele passou diante dos dois, portando o seu arco, o garoto esticou o bracinho e fez vibrar a corda.

Um som parecido com o da harpa soou, fazendo calar a tribo inteira.

– Afronta e vergonha! – gritou o morubixaba, fuzilando a filha com os olhos.

No mesmo dia, o cacique ordenou que a tribo inteira partisse daquele lugar, abandonando a filha e o neto junto com Maire-Pochy.

– De hoje em diante, não tenho mais filha! – esbravejou o cacique, antes de partir.

Desde aquele dia, a taba florescente converteu-se numa taba-fantasma, habitada apenas pela mulher, a criança e Maire-Pochy.

Mal sabia, porém, o cacique que, ao partir, levara consigo uma maldição, pois nas novas terras verdejantes onde a tribo se instalou não crescia mais um único talo de erva, a água havia secado e toda a criação perecera.

– Isto só pode ser uma maldição de Maire-Pochy! – disse o cacique.

Nas terras onde haviam permanecido o corcunda e a índia, tudo continuava às mil maravilhas: as plantações brotavam por si mesmas, a água corria fresca e estuante e os animais procriavam como coelhos.

Ao saber dos infortúnios do cacique, Maire-Pochy mandou dizer a ele que poderiam vir abastecer-se nas terras onde agora era o senhor.

– Maire-Pochy diz que não guarda mágoa alguma – disse o emissário ao cacique.

O morubixaba pensou um pouco e disse:

– É, não tem outro jeito, vamos ter de nos humilhar diante daquele miserável!

Então apresentaram-se diante do corcunda e da jovem.

– Abasteçam-se de tudo quanto quiserem – disse Maire-Pochy, com um ar piedoso.

Os esfomeados se lançaram à comida farta, espalhada por dúzias de moquéns. Ao experimentarem os pitéus, no entanto, sobreveio imediatamente a desgraça, pois tudo não passava de uma armadilha. Logo todos começaram a se converter em porcos, em grilos e em maracanãs (espécie de arara menor, de plumagem verde). O cacique se converteu num jacaré, enquanto sua esposa virou uma tartaruga.

Cumprida a vingança, Maire-Pochy fez como o seu antepassado Monan e subiu às nuvens, para nunca mais retornar à Terra.

O COCAR DE FOGO E OS GÊMEOS MÍTICOS

O filho de Maire-Pochy, o índio vingativo da história anterior, viveu algum tempo entre os tupinambás antes de regressar aos céus, de onde, presumivelmente, viera.

O prosseguidor da saga dos Monan possuía um cocar de fogo, ou *acangatara*, que tinha o poder de incendiar a cabeça daquele que resolvesse experimentá-lo sem a autorização do dono.

Apesar disso, não faltou um imprudente disposto a arriscar. Quando as chamas envolveram sua cabeça, ele correu para uma lagoa e mergulhou, convertendo-se instantaneamente numa saracura. Dizem que é por isso que essa ave possui até hoje o bico e as patas vermelhas.

Quando o filho Maire-Pochy retornou à sua verdadeira casa, que era o Sol, deixou no mundo um filho que atendia pelo nome de Maire-Até.

Certa feita, Maire-Até resolveu fazer uma viagem com sua esposa.

Mas a esposa, além de ser meio lenta, estava grávida e não conseguia acompanhar os passos ansiosos do marido.

– Lenta mesmo! – disse a voz de Maire-Até, sumindo na mata.

A pobre mulher caminhou desatinada até perder-se no cipoal da floresta.

– Maire-Até, onde está você?

– Ele foi por ali! – disse, de algum lugar, uma voz fininha.

A índia estaqueou, assustada.

– Quem disse isso?

– Siga por aquela vereda, minha mãe! – disse a vozinha, outra vez.

Só então ela compreendeu que a voz vinha de dentro da sua barriga.

– Você? Então já fala? – disse ela para o próprio ventre.

Um pica-pau que observava tudo parou de martelar o tronco da árvore e balançou a cabeça, desconsolado:

– Outra doida!

Mas era verdade, sim: o feto miraculoso, antes mesmo de nascer, já tinha o dom da fala.

– Vamos, minha mãe, alcance meu pai! – disse a vozinha, impaciente.

A mulher arremessou-se na direção da vereda e continuou a buscar Maire--Até, mas ele não era capaz de diminuir o passo e cada vez distanciava-se mais.

Ao passar por uma moita cheia de frutinhas vermelhas, a vozinha gritou:

– Espere, minha mãe, junte aquelas frutinhas!

Mas a índia estava com pressa e não quis parar por nada deste mundo.

– Eu quero as frutinhas! – esbravejou a criança, sapateando no ventre da mãe.

– Elas não prestam, dão dor de barriga! – exclamou a índia.

Ao chegar a uma encruzilhada, ela bateu na barriga.

– Para que lado seu pai foi?

Infelizmente, desde aquele instante, a vozinha emudeceu. A índia tentou de todos os modos fazer seu ventre falar outra vez, mas tudo o que conseguiu extrair dele foram alguns roncos de fome.

Então sua alma conheceu o pânico.

Perdida! Sim, agora ela estava positivamente perdida! Não tardaria para que os maus espíritos ou as crias monstruosas da floresta viessem atazaná-la!

Depois de muito andar, acabou enxergando uma oca perdida.

– Graças a Tupã, estou salva!

Pelo menos era o que ela pensava, pois na tal oca vivia um índio que estava havia anos sem ver uma índia. Assim que ela pediu a sua ajuda, ele puxou-a para dentro da oca e fez com ela o que bem quis.

Resultado: a esposa de Maire-Até ficou grávida outra vez.

Quando tudo terminou, ela cobriu o rosto com as mãos. No seu peito misturavam-se a vergonha e o sentimento de vingança. O sentimento de vingança ela votava, antes de tudo, ao seu marido, que não quisera esperá-la. Quando, porém, decidiu levar a cabo a segunda vingança, contra o seu agressor, descobriu que um castigo sobrenatural já havia descido sobre o ele: na esteira onde ela havia sido abusada, restava apenas, no lugar do índio, um gambá fedorento.

A índia abandonou a oca certa de que suas desditas haviam chegado ao fim, mas ainda havia um mal maior guardado. Nem bem deixara o lugar quando deparou-se com um índio canibal. Ele se apresentou como Jaguaretê e disse que pretendia comê-la.

E tal como disse, assim o fez, de tal sorte que a pobre índia foi devorada até o último bocado pelo tal Jaguaretê e pelos da sua comunidade, conhecendo ali, finalmente, o fim das suas desditas.

Antes de devorar a índia, porém, o canibal retirou do ventre as duas crianças – o filho de Maire-Até e o do índio que a havia atacado – e atirou-as no monturo.

No dia seguinte, algumas índias piedosas recolheram as duas crianças.

Diz a lenda que, ao crescerem, os dois irmãos vingaram a morte da mãe atraindo o índio e os seus sequazes até uma ilha, onde lhes prometeram farta alimentação. Na travessia pela água, os canibais se transformaram em animais selvagens – possivelmente em jaguares, já que, segundo os estudiosos, o nome do líder Jaguaretê remete à figura do jaguar.

Maire-Até criou os dois filhos, o legítimo e o ilegítimo. O ilegítimo, como não podia deixar de ser, era discriminado em toda parte, sendo chamado de "o filho do gambá".

Maire-Até educou-os, porém, da mesma maneira, impondo-lhes as provas rudes da selva. Numa dessas provas, os dois irmãos deveriam passar por entre duas rochas que tinham o poder de esmagar aqueles que tentassem passar entre elas. O filho do gambá foi esmagado ao tentar a proeza, enquanto o filho de Maire-Até saiu-se vitorioso. Penalizado, porém, do meio-irmão, o filho legítimo ressuscitou-o, pois possuía os dons mágicos da descendência de Monan, o semideus civilizador.

Mas havia, ainda, uma última prova: furtar os utensílios de pesca de Agnen, um ser mítico cuja ocupação principal era a de pescar o peixe Alain, alimento dos mortos.

Decidido a ter sucesso no seu furto, o filho legítimo de Maire-Até tornou-se um peixe e, depois de deixar-se pescar, furtou tudo quanto quis enquanto o pescador estava distraído.

O filho do gambá, porém, saiu-se mal ao tentar o mesmo estratagema, e acabou sendo morto mais uma vez. Felizmente, o seu irmão demonstrou novamente a sua generosidade e, depois de recolher as espinhas do filho do gambá – lembremos que ele se metamorfoseara em peixe –, assoprou sobre elas e o jovem retornou, desta forma, à vida.

Existem várias versões para essas proezas dos gêmeos míticos, que variam muito conforme a tribo, mas o certo é que são dois personagens fundamentais da religião indígena.

A ONÇA E O RAIO

Os índios taulipangs, habitantes do extremo norte do Brasil, contam a lenda a seguir.

Certa feita, a onça passeava pela mata quando encontrou o raio a fabricar um porrete. A onça não conhecia bem o raio, pois nunca tinha visto um em terra, muito menos a fabricar porretes, e por isso imaginou que se tratava de algum animal.

Então ela começou a pisar macio e, depois de dar a volta, sem ser vista, pulou sobre o raio.

O raio, porém, escapou com um pulo veloz, sem sofrer nada.

A onça, desapontada, indagou:

– Quem é você?

– Sou o raio, não vê?

– Você é muito forte, não é?

– Está enganada, não sou nada forte.

Ao escutar isso, a onça inflou o peito e engrossou a voz.

– Pois eu sou o animal mais forte destas matas! Quando estou furiosa, não sobra nada inteiro!

Então, para demonstrar a sua força, a onça trepou numa árvore enorme e começou a devastar tudo, quebrando um por um dos galhos. Depois, desceu para o solo e começou a escavá-lo, atirando para cima tufos de relva e de terra até estar tudo revirado, como se um tatu doido tivesse passado por ali.

– Muito bem, que achou disso? – disse a onça, arfante.

O raio escutou, mas não disse nada.

– Vamos, quero vê-lo fazer algo parecido! – desafiou a onça.

– Como poderia, se não tenho a sua força? – disse o raio, afinal.

Inflada ainda mais pela confissão do raio, a onça entregou-se a nova demonstração de força, revolvendo tudo outra vez até ter aberto uma clareira na parte da mata onde estavam.

Enquanto a onça sorria, esbaforida, o raio tomou o seu porrete e começou repentinamente a vibrá-lo no chão e por tudo ao redor, fazendo a onça quicar e rebolar pelo solo como um bicho de pano. Uma verdadeira tempestade, seguida de raios e ventania, tornou tudo ainda mais sério, a ponto de a onça achar que o mundo se acabaria. Quando a tempestade finalmente cessou, a onça mal encontrou forças para pôr-se novamente em pé e ir correndo esconder-se atrás de uma rocha.

Mas o raio gostara da brincadeira e arremessou uma fagulha que fez a volta na rocha, acertando com precisão o rabo da onça. A onça deu o pulo mais alto de toda a sua vida, chamuscou a cabeça no cocar do Sol e desceu à Terra outra vez, fugindo a toda a velocidade.

O raio continuou a vibrar o seu porrete e a arremessar coriscos e fagulhas com tanta intensidade para cima da pobre bichana que ela viu-se obrigada a procurar refúgio na toca de um tatu gigante.

Tudo em vão: o raio varejou a cova do tatu e acertou em cheio, outra vez, os fundilhos da onça. Não havia jeito: onde quer que a onça buscasse refúgio, ali a alcançava o braço longo do raio.

Ao mesmo tempo, começou a soprar um vento frio e a cair uma chuva gelada, e como a onça já estava quase sem pelo algum, devido às queimaduras, pouco faltou para ela congelar-se.

– Depois do fogo, o frio! – gania ela, batendo os dentes, toda enrodilhada no solo.

Somente ao ver a rival arriada e completamente vencida foi que o raio se deu por satisfeito.

– Muito bem, agora diga quem é o mais forte por aqui!

A onça tapou a cabeça para não ter de responder, enquanto o raio partia, a gargalhar.

E aqui está, segundo os taulipangs, a razão de as onças temerem tanto os temporais.

KONEWÓ E AS ONÇAS

E já que se falou de onças, nada melhor do que referir algumas disputas de Konewó contra as onças, pois os taulipangs, especialmente as crianças, parecem adorá-las com seu ritmo ágil de desenho animado.

Konewó é um índio que parecia ter nascido para disputar com as bichanas. Certo dia, ele estava sentado, encostado a uma árvore, quando uma onça chegou e perguntou:

– Por que está aí sentado, a escorar esta árvore?

– Para que ela não caia – respondeu Konewó, secamente. – Todas as árvores estão por cair. Por que não faz o mesmo que eu com aquela outra árvore ali?

A onça viu uma árvore que parecia prestes a ruir e achou que seria uma boa distração ficar escorando-a, pois não tinha nada melhor para fazer.

Depois de encostar-se ao tronco, a onça fechou os olhos, sentindo-se vagamente virtuosa.

"De vez em quando é bom ser útil", pensou, vaidosa da sua virtude.

Mas a virtude logo transformou-se em sono, e, quando a onça começou a roncar, Konewó ergueu-se e, ligeirinho, amarrou-a ao tronco com cordas trançadas de cipó.

Konewó desapareceu, a reprimir o riso, e a onça só acordou algumas horas depois, completamente imobilizada.

Os dias se passaram e ela já estava quase morta de fome quando um macaco surgiu.

– O que faz aí, toda amarrada à árvore?

– Fui amarrada, não está vendo? – rugiu a fera. – Vamos, solte-me já!

– Ah, isso eu não faço, não! Se soltá-la, você me come!

– Não comerei, dou-lhe minha palavra!

O macaco não foi muito atrás da onça, e ela precisou insistir várias vezes para que ele finalmente se decidisse a arriscar o pelo. Com toda a cautela, ele desamarrou a onça, e só por isso escapou vivo. Atento, assim que viu a pata peluda eriçar as unhas na sua direção, deu um pulo para longe.

O macaco desapareceu dentro da mata, enquanto a onça ficou maquinando a sua vingança contra o índio que a aprisionara. Depois de andar muito, farejando o rastro de Konewó, ela finalmente encontrou o seu desafeto, desta vez escorado numa rocha.

— Ah! Aí está você! – disse ela, pulando à frente do índio. – Desta vez você me paga!

Konewó olhou serenamente para a onça.

— O que quer? – disse ele, friamente.

— Vingança!

Ao observar, porém, a calma do índio, a onça não pôde deixar de perguntar-lhe:

— Ei! O que faz escorado aí nesse pedregulho?

— Estou impedindo que ele caia. Todos os rochedos estão por cair.

Konewó, então, olhou para o lado e apontou outro rochedo dez vezes maior.

— Se você fosse uma onça realmente útil, faria como eu, impedindo que aquele rochedo caia.

Uma espécie de nuvem estúpida desceu sobre a mente da onça, obrigando-a a ir tomar o seu lugar, mas assim que ela o fez, o índio ergueu-se.

— Espere aí, sabichão, onde pensa que vai? – gritou ela.

— Tive uma excelente ideia para poupar-me trabalho. Vou procurar um tronco para fazer uma escora e assim livrar-me de ficar o resto da vida escorando a minha pedra.

A onça sentiu o pedregulho chacoalhar às suas costas e deu um grito:

—Traga uma escora para mim também!

Konewó sumiu e nunca mais apareceu com escora alguma. Quanto à onça, das duas uma: ou está lá até hoje, escorando o pedregulho, ou terminou sepultada viva pelo desabamento.

* * *

Konewó também gostava de passar a conversa nos homens brancos, pois era crença de muitos índios que as onças haviam sido gente antes de virarem o que são hoje.

Certo dia Konewó achou um gambá e introduziu debaixo do seu rabo um punhado de moedas de prata. Depois, andando por ali, cruzou com um homem branco carregando uma rede novinha em folha.

— Bela rede! – disse Konewó. – Quer trocá-la por um gambá que bota moedas de prata?

— Está me achando com cara de bobo, é?

Então, Konewó apertou a barriga do gambá, e as moedas saltaram por debaixo do rabo.

O homem branco ficou pasmo.

— E esse fedorento faz isso muitas vezes por dia? – perguntou ele.

— Quantas vezes lhe apertarem o ventre — respondeu o índio, apertando outra vez o bucho do gambá.

As moedas saltaram outra vez, e o homem branco fez o negócio na hora.

Assim que o índio afastou-se, o homem branco ergueu o rabo do gambá e quase enfiou o olho lá dentro.

— Vamos ver isto! — disse ele, apertando com toda a força a barriga do coitado.

Só que, desta vez, a única coisa que espirrou foi um jato fedorento de fezes.

* * *

Mais adiante, Konewó aplicou um golpe parecido em outro civilizado. Depois de pendurar algumas moedas em alguns galhos de uma árvore, chamou o primeiro que enxergou.

— Veja, homem branco, esta árvore dá dinheiro! — disse ele.

O homem embasbacou-se. Ele estava cheio de mercadorias que atraíram a cobiça do índio.

— Se você me der todas as suas mercadorias, entrego a você esta árvore mágica.

O homem branco olhou para o seu farnel e depois para a árvore, ainda em dúvida.

— Quantas vezes por ano ela dá moedas assim? Estou vendo poucas ali.

— É que estou no fim da colheita — disse o índio. — Mas não se preocupe, pois esta árvore dá moedas o ano todo. Esta já é a décima colheita!

Fechado o negócio, o índio tratou de pegar o dinheiro e dar o fora, enquanto o homem branco olhava para a meia dúzia de moedas penduradas nos galhos altos. Impaciente, ele começou a chacoalhar o tronco, e duas moedinhas caíram junto com uma porção de folhas.

Ainda mais impaciente, ele continuou a chacoalhar até que um galho despencou e quase rachou a sua cabeça, e isto foi tudo que ele viu cair, depois do primeiro chacoalhão, da árvore amaldiçoada.

* * *

Mas os golpes prediletos de Konewó eram aplicados mesmo às onças.

Certo dia, ele estava sentado à beira de um rio de águas profundas quando uma onça surgiu por detrás.

— Que faz aí, bobão? — disse a onça, mais curiosa do que esfomeada.

— Estou pensando em mergulhar no rio para apanhar aquele bolo de tapioca que está lá no fundo.

Konewó apontou para o reflexo da lua sobre a água.

– Então vá – disse a onça, desconfiada. – Quero ver se consegue apanhá-lo!

Konewó tinha escondido debaixo da tanga um pedaço de bolo e mergulhou para logo em seguida retornar.

– Ah, aqui está! – disse ele, dando uma dentada no bolo.

A onça lambeu os beiços, mas o índio enfiou ligeiro o resto na boca.

– Por que não trouxe o bolo inteiro? – disse a onça, frustrada.

– Acontece que sou muito leve – respondeu o índio. – Por que você, que é mais pesada, não desce e traz o restante do bolo?

A onça estava tão ávida por provar aquela delícia que aceitou na hora o desafio.

– Amarre esta pedra ao pescoço – disse o índio. – Ela a ajudará a descer mais rápido, pois há muita correnteza nestas águas.

A onça aceitou, e depois de ter o pedregulho bem amarrado ao pescoço, mergulhou. Quando chegou ao fundo do rio, porém, constatou que não havia bolo algum por ali. Olhou para cima e viu que o bolo – ou a lua – agora estava boiando na superfície.

E essa foi a última coisa que a desgraçada viu antes de morrer afogada.

* * *

Mais uma com onça.

Konewó ia andando na mata quando viu uma trilha de antas. No mesmo instante, uma onça surgiu.

– O que espia aí? – perguntou a bichana.

– Não está vendo? – respondeu o índio. – É o rastro de uma anta gorda.

A onça lambeu-se três vezes antes de voltar a falar.

– Acha que está longe?

– Que nada! Veja, o rastro ainda está fresco!

– Então deixe comigo! – disse a onça, preparando-se para uma boa corrida.

– Não, espere, tenho um plano melhor – disse Konewó. – Está vendo aquele morro elevado e coberto de vegetação? Foi por lá que ela se escondeu. Eu vou atrás dela, e você fica aqui embaixo. Vou assustá-la e encaminhá-la bem na direção da sua boca.

A onça adorou a ideia e foi colocar-se na base do morro, enquanto o índio o escalava. Ao chegar ao topo, Konewó encontrou um pedregulho enorme e rolou-o até o começo da descida.

– Aí vai a anta! – gritou o índio.

Ao escutar o ruído de algo pesado descendo, a onça firmou-se nas pernas.

– Que anta enorme deve ser! – disse ela, lambendo os bigodes.

De repente, porém, surgiu do matagal inclinado o pedregulho enorme, a rolar furiosamente, e passou por cima da onça, deixando-a esmigalhada e fininha como um tapete.

E esse foi o fim de mais uma onça.

* * *

Uma última.

Konewó estava sentado em um galho elevado de uma enorme árvore. Ele havia encontrado uma colmeia e estava se deliciando com o mel quando uma onça chegou e perguntou:

– Que faz aí?

– Estou saboreando esta delícia – disse Konewó, lambendo os dedos dourados de mel.

– Também quero! – disse a onça, apaixonada por mel.

– Então, façamos o seguinte: eu desço e corto a árvore. Quando ela cair, você apara a colmeia nos braços e fica o resto do dia se deliciando.

A onça topou e ficou aguardando enquanto o índio metia o machado na árvore.

Quando a árvore finalmente começou a inclinar-se, a onça fez menção de sair correndo.

– Idiota, fique no lugar! – berrou Konewó. – Apare a colmeia, senão ela vai se estraçalhar.

A onça se encheu de coragem e esticou os braços na direção da colmeia. Só que atrás dela vinha a árvore inteira, e foi assim que a pobre felina viu-se esmagada e coberta de picadas de abelhas.

* * *

Konewó, segundo a lenda, teve um fim grotesco, mas que o amor ao saber obriga a contar.

Certo dia, ele estava se aliviando, no alto de uma árvore, quando um besouro vira-bosta aproximou-se, lá embaixo. Konewó olhou para o serzinho e disse, apiedado:

– Gostou? Aqui dentro tem muito mais! – disse ele, apontando para o traseiro.

O vira-bosta subiu, entrou-lhe traseiro adentro e comeu o resto da porcaria, e junto com ela as tripas e tudo mais, dando um fim miserável ao maior tapeador de onças já surgido nas matas brasileiras.

O UIRAPURU

Existem diversas lendas sobre essa pequena ave amazônica, cujo canto deslumbrante inspirou Heitor Villa-Lobos a compor um poema sinfônico.

Esta lenda conta como duas amigas tornaram-se rivais pelo amor de um mesmo homem.

As duas moças chamavam-se Moema e Juçara. Desde crianças, elas eram apaixonadas por Peri, o índio mais belo da aldeia. Não havia índia que não se interessasse por ele, mas as únicas que tinham condição de disputar o cobiçado prêmio eram as duas amigas inseparáveis.

Apesar de rivais, as duas amigas não escondiam uma da outra a sua pretensão.

– Amo Peri perdidamente – dizia Juçara a Moema.

– Também sou louca por ele – dizia Moema a Juçara.

As coisas seguiram assim, numa rivalidade amistosa, até o dia em que decidiram consultar o pajé da aldeia para ver o que poderia ser feito para resolver o dilema.

– Peri não sabe dizer qual de nós duas prefere – disse Moema ao pajé.

– Acontece que já estamos em idade de casar – disse Juçara.

Então o pajé, depois de meditar, elaborou a seguinte proposta:

– Não há outro jeito: vocês terão de disputá-lo para ver quem fica com ele.

No dia aprazado, as duas índias, munidas de arco e flecha, apresentaram-se na mata.

– Quem acertar o pássaro que eu apontar será a vencedora – disse Peri.

De arco na mão, as duas índias ficaram à espera da ordem de Peri.

– Ali, atirem! – gritou o índio ao ver uma ave branca surgir por entre os galhos.

Duas flechas velozes partiram, silvando no ar, mas somente uma delas acertou a pequena ave.

– Aqui está! – disse Peri, tomando nas mãos a ave alvejada.

As duas flechas estavam marcadas, e aquela que estava encravada na ave tinha a marca de Juçara.

Desde então, Juçara passou a ser a esposa de Peri. Quanto à pobre Moema, decidiu fugir da aldeia e ir se esconder na mata para lamentar a sua infelicidade.

Tupã, apiedado da moça, decidiu, então, transformá-la numa ave de canto maravilhoso.

– O seu canto será tão belo que terá o dom de curar a sua própria tristeza – disse o deus.

Moema, convertida no uirapuru – que em tupi significa "pássaro que não é pássaro" –, passou a morar na floresta, e desde então toda ela silencia sempre que seu canto começa a soar.

O SURGIMENTO DA NOITE

Algumas tribos amazônicas creem que no começo dos tempos só havia dia. Era sol de manhã, sol de tarde e sol de noite, e só quando as nuvens apareciam é que se tinha um descanso para tanta luz e calor.

Mas mesmo sem sol, continuava sempre dia. É que a noite, diziam eles, estava adormecida no fundo do rio Amazonas, e até ali ninguém se animara a despertá-la.

Naqueles dias, a Cobra-Grande, um dos personagens mais importantes do folclore amazônico, não só vivia à solta por aí como também tinha uma linda filha.

O esposo dessa jovem andava muito chateado, pois ela não queria dormir com ele de jeito nenhum. A desculpa da esposa era sempre a mesma:

– Deitar por que, se ainda não é noite?

O pobre tentava argumentar, dizendo que não seria nunca noite, mas não tinha jeito.

– Só deito quando anoitecer – teimava ela.

– Mas e quem vai despertar a noite do fundo das águas?

– Minha mãe sabe o segredo. Mande alguém até lá buscar um coco de tucumã.

No mesmo instante, o marido mandou três serviçais até lá.

Apesar de mortos de medo – pois não há índio que não se arrepie ao escutar o nome dessa entidade –, os serviçais foram até a Cobra-Grande e relataram-lhe o pedido da filha.

– Não o abram em circunstância alguma! – sibilou a serpente, entregando o coco aos três.

O coco fora selado com uma cobertura de breu, a fim de evitar a tentação da curiosidade.

Os emissários retornaram pelo rio na mesma canoa em que haviam partido. Durante o trajeto, o coco começou a vibrar, e um som baixinho, ao mesmo tempo rouco e fininho, escapou da sua casca lacrada.

– O que será isto? – disse um dos três índios, colando a orelha ao coco.

– O que não é para ser visto! – disse o timoneiro, arrancando o coco do curioso.

Mas o terceiro também estava curioso e, tomando o coco, colou nele a orelha.

– Tem um monte de coisas aqui dentro! – disse ele.
– Talvez sejam joias! – disse o primeiro.
Ao escutar essas palavras, o timoneiro também acabou por render-se à curiosidade.
– Está bem, vamos parar a canoa e ver o que há aqui dentro!
A canoa parou bem no meio do rio, e eles acenderam uma fogueirinha para enxergar melhor. Como sempre acontece, o que mais discursara contra a desobediência revelava-se agora o mais impaciente por praticá-la.
– Vamos, quebre de uma vez essa porcaria! – disse o timoneiro, de olhos arregalados.
– Não!... Vamos retirar apenas o breu! – disse outro, mais cauteloso.
Com uma mecha do fogo eles derreteram, então, a cobertura e finalmente abriram o coco.
De repente, uma nuvem negra escapou de dentro e envolveu a canoa e o rio e o mundo todo enquanto os índios cobriam as cabeças, abaixados. Ao mesmo tempo, milhares de sapos e grilos pularam para fora do coco e se espalharam mundo afora, dando à noite a sua inconfundível trilha sonora.
A noite se espalhara por tudo, indo alcançar a casa onde morava a filha da Cobra-Grande e seu esposo.
– Veja, meu marido! – disse ela. – Algo aconteceu!
Mas ele não podia ver nada, sequer a sua amada esposa.
– Se não posso vê-la durante a noite, então jamais teremos a noite! – disse ele, enfurecido.
Então, ele fez menção de agarrá-la, mesmo sem vê-la.
– Não, espere! – gritou ela. – Agora teremos de esperar o dia!
O marido caiu da rede, de desgosto.
– E haverá dia, outra vez? – disse ele, desolado.
– Sim, ele não tardará – afirmou a jovem, confiante.
E assim foi. Logo, uma luzinha despontou na escuridão dos céus.
– Veja, a estrela d'alva! – disse ela, apontando a estrela que anuncia o dia. – Agora vou separar a noite do dia, de tal sorte que teremos as duas coisas, alternadamente.
Com o surgimento da noite, havia ocorrido uma série de metamorfoses na natureza. Bichos e aves de toda espécie haviam surgido, e quando ela olhou para o marido viu que também ele havia sofrido uma mudança.
– Meu adorado! – gritou ela, radiante. – Que cujubi lindo você está!
O pobre marido havia se transformado numa galinha preta de penas esverdeadas.
– Que besteira é esta? – disse ele ao acordar, agitando as asas e falando já pelo bico.

— Oh, que maravilha! – disse ela. – A partir de agora, sempre que o dia nascer, você cantará para mim e me despertará de uma noite deliciosa de sono!

A jovem parecia mesmo feliz. Pena que o marido não parecesse tão animado com a mudança.

— Quer dizer que vou ser esta ave horrorosa o resto da vida?

— *Horrorosa*?! – exclamou a jovem, ofendida. – Oh, Mãe-d'Água! Sempre reclamando!

Neste momento, os três emissários desastrados reapareceram. Imediatamente, o marido pulou na direção deles. Mas parou ao ver que os três emissários também estavam com os corpos cobertos de pelos negros.

A jovem começou a rir desbragadamente assim que a luz da aurora lhe permitiu ver melhor no que os três imprudentes haviam sido convertidos: três macacos de dentes arreganhados.

— Muito bem, toleirões, aí está o prêmio da sua imprudência! – disse o marido, sentindo-se muito bem vingado. – Doravante irão pular de galho em galho, de dia e de noite!

Os três macacos deram de ombros, arreganharam os dentes outra vez e saíram pulando para dentro da selva. Suas bocas estavam pretas e tinham marcas amarelas nos braços, um resquício do breu ardente que espirrara sobre eles quando arrombaram o coco no meio do rio.

A CABEÇA QUE VIROU LUA

Os índios kaxináuas explicam de uma maneira realmente curiosa o surgimento da lua.

A história começa com uma caçada à cutia, um roedor das matas. Dois índios haviam acabado de caçá-la e retornavam à oca de um deles.

– Hoje irei apresentá-lo à minha mulher – disse o primeiro.

Quando chegaram diante da oca, porém, o solteiro não quis entrar.

– Tenho vergonha de apresentar-me assim – disse ele, todo suado e despenteado.

O dono da casa mandou ele esperar ali fora e retornou em seguida com alguns itens de higiene. O índio tímido deu uma limpada no suor, ajeitou os cabelos e colocou alguns enfeites.

– Pronto, está perfeitamente apresentável – disse o anfitrião, introduzindo o amigo na oca.

O marido ordenou rispidamente à esposa que desse de comer ao amigo.

– Dê-lhe toda comida que houver! Quero que coma até estourar!

A jovem índia trouxe um alguidar repleto de comida. Havia mingau, macaxeira, bananas de todos os tipos, cruas e assadas, inhame, pipoca e um mundo de outras comidas.

O visitante comeu o quanto pôde e depois guardou o resto num farnel para levar para casa.

– Muito obrigado pela acolhida, mas já é tarde e devo partir – disse ele, afinal.

– Vou com você – disse o anfitrião, tomando um facão antes de sair.

– Para que o facão?

– Vou cortar madeira. Estou fazendo uma enxada e preciso de um cabo.

Os dois partiram e, no meio do caminho, o anfitrião desfez todas as gentilezas ao cortar fora a cabeça do outro, sem qualquer explicação.

A cabeça rolou pelo chão, mas o corpo permaneceu em pé, recusando-se a morrer. Enraivecido, o matador caiu de facão sobre o corpo até prostrá-lo sem vida.

Enquanto isso, a cabeça, embora caída sobre o solo, permanecia viva.

– Que está olhando? – rugiu o matador.

A cabeça não disse nada, mas as pálpebras bateram várias vezes.

Diante do que julgou uma afronta, o matador cortou um pedaço de pau com o facão, aguçou-o e enfiou a cabeça na ponta. Depois, colocou o marco macabro bem no meio do caminho e deu no pé.

Logo em seguida surgiu outro índio, também caçador, que tomou um grande susto ao ver aquela cabeça espetada na encruzilhada.

– Quero ver direito o que é isto! – disse ele, indo pé ante pé.

Ao chegar mais perto, viu que a cabeça ainda batia as pálpebras, derramando lágrimas enormes, e seu coração encheu-se de terror.

– Anhangá! – gritou ele, certo de estar diante de uma visagem.

Enquanto fugia, porém, deu-se conta de que aquela cabeça pertencia a um membro de sua tribo e foi correndo contar aos restantes.

– Nosso irmão foi morto, e sua cabeça jaz espetada no meio da mata!

Ao saberem da notícia, todos da tribo juntaram-se e foram ver o prodígio. Uma multidão de índios cercou a cabeça como se fossem consulentes ávidos de um oráculo das matas. Só que a boca, apesar de bater os lábios, não conseguia emitir uma única palavra.

Então um índio mais destemido arrancou a cabeça do poste e atirou-a num cesto.

– Vamos embora, na aldeia veremos o que se há de fazer! – disse ele, partindo.

Os índios seguiram atrás do valentão do cesto, até que, dados alguns passos, a cabeça varou a parte de baixo do samburá e caiu quicando no chão. Os que vinham atrás começaram a pular, esquivando-se da cabeça como se fosse de fogo, até que ela parou de rolar ao alcançar um barranco.

– Vamos, coloque-a em outro cesto! – disse o líder.

A cabeça foi acomodada e a procissão recomeçou, até o instante em que a cabeça, a poder de dentadas, arrombou a trama do fundo outra vez. Uma nova e frenética dança recomeçou até alguém sugerir que deveriam retornar para enterrar o tronco do índio morto.

– Enterrado o corpo, a cabeça sossega – disse o sabichão.

Quatro índios retornaram e enterraram o corpo. Ao voltarem, porém, para a companhia dos demais, encontraram-nos aos pulos, pois agora a cabeça, além de quicar, queria morder a todos.

– Coloque-a num cesto forrado e leve-a nas costas! – gritou o chefe a um índio parrudo.

O índio fez o que o chefe mandara, e a comitiva retomou a marcha.

De repente, porém, escutou-se um berro agoniado. Todos voltaram-se e viram, estarrecidos, a cabeça ensandecida com os dentes na orelha do índio.

– Socorro, acudam! – guinchava o pobre coitado.

Então, o chefe tomou uma decisão realmente sábia.

– Deixem essa cabeça aí mesmo! Ela deve estar amaldiçoada e só irá espalhar malefícios pela aldeia!

Todos concordaram a uma só voz, menos a cabeça, que ao ver-se só e abandonada começou a quicar velozmente atrás deles.

Então, foi um espalhar de índios em todas as direções. Alguns buscaram a salvação ao avistarem um rio de águas revoltas

– Mergulhemos! Cabeça nenhuma sabe nadar!

Todos caíram na água e bracejaram com fúria até alcançarem a outra margem. Estirados na relva, ensopados e sem fôlego, eles relancearam um olhar para a correnteza do rio.

– É ela! – gritou um deles. – Anhangá vem vindo!

E vinha mesmo. Fazendo das orelhas duas nadadeiras, a cabeça avançava velozmente, espalhando água para todos os lados.

Então os índios reuniram o que lhes restava de fôlego e treparam, com a agilidade de onças, num pé de bacupari. Lá do alto eles viram quando a cabeça, após sair da água, sacudindo-se e cuspindo água como um chafariz, começou a rolar sinistramente até a base da árvore.

Naquela árvore havia, agora, mais índios do que frutos dependurados.

– Desçam ou sacudirei esta porcaria até caírem todos! – rugiu a cabeça, adquirindo, subitamente, o dom da fala.

Ao ver que ninguém a obedecia, a cabeça começou a dar marradas no tronco, como um cabrito, enquanto os índios balançavam no alto como folhas num vendaval.

De repente, porém, a cabeça parou, talvez meio tonta com tudo aquilo.

– Antes de descerem, deem-me algumas frutas, pois fiquei com fome! – gritou ela.

Instantaneamente começaram a chover frutos sobre a cabeça esfomeada. Ela deu algumas dentadas nos frutos, mas cuspiu tudo, enojada.

– Pfúi! Estão verdes! Deem-me os maduros!

Desses, ela gostou. Pena que, ao engoli-los, eles lhe saíam pelo pescoço cortado, sem nunca matar-lhe a fome. Mesmo assim, continuava comendo-os.

Então, um dos índios trepados teve uma boa ideia.

– Joguem longe os frutos! Assim poderemos fugir enquanto ela vai buscá-los!

Os frutos foram arremessados o mais longe possível, e a cabeça saiu rolando para apanhá-los.

– É agora! – gritou o autor da ideia.

Numa só vez, despencaram todos os índios. Nem bem seus pés haviam tocado o solo, puseram-se a correr para a aldeia feito lunáticos. Ao chegarem lá, encerraram-se todos em suas ocas e ficaram esperando o pior, que era a chegada da cabeça maldita.

Todos espiavam por entre as frestas das ocas, até que se escutou, cada vez mais nítido, um tum-tum-tum sinistro crescer de dentro da mata.

– Anhangá! É ela! – gritaram vozes esganiçadas de todos os sexos.

A cabeça finalmente surgiu e foi postar-se no centro da taba. Apenas algumas tochas iluminavam o tétrico cenário, pois naquele tempo ainda não havia luminária alguma nos céus.

– Toleirões! Se não me deixarem entrar em suas ocas vou lançar uma maldição que vai reduzir sua aldeia a cinzas!

O silêncio, porém, permaneceu, e então a cabeça passou a gritar uma mistura incoerente de promessas e ameaças, que só serviu para aterrorizar ainda mais os índios.

– Não me deixarão entrar, então, malditos? Pois saibam que, a partir de hoje, subirei aos céus e me converterei na lua! Minha cabeça será a lua, e meus olhos, as estrelas! Aparecerei em quartos, e quando fizer minha primeira aparição as mulheres sangrarão, e quando estiver completa nos céus os cães e os doidos se porão a uivar para mim!

Neste instante, um urubu desceu dos céus, farfalhando suas asas negras. Depois de enterrar suas unhas aduncas nos cabelos desgrenhados da cabeça, a ave subiu, levando-a consigo.

Todos viram, abandonando suas ocas, quando o urubu gigante depositou a cabeça no alto do céu. Imediatamente ela começou a fosforescer em prateado, e das suas órbitas espocaram milhares de faíscas da mesma cor que, após se espalharem por todos os quadrantes, se converteram em estrelas.

E foi assim que, segundo os kaxináuas, a lua surgiu.

O FURTO DO FOGO

Segundo os índios tembés, nos tempos míticos o fogo tinha um único dono: o urubu-rei. Como o urubu era muito avaro da sua preciosidade, os índios não podiam fazer uso de chama alguma, e quando queriam comer carne só lhes restava o expediente de expô-la longamente ao sol.

Isso foi até o dia em que um índio mais destemido resolveu dar um fim àquilo.

– Vamos atrair o urubu-rei e a sua tropa inteira – disse ele, matando uma anta enorme.

Depois de sangrarem bem o bicho, eles deixaram o cadáver exposto ao sol, para atrair os urubus.

Não demorou muito e o urubu-rei, atraído pelo fedor da carniça, desceu sobre a anta.

– Viva, temos hoje banquete farto! Vamos lá, companheiros, há carniça para todos! – disse ele, dando um grasnido.

Logo o céu anoiteceu com a chegada de uma verdadeira nuvem de urubus. A bicharada caiu sobre a anta, mas alguém teve a ideia de acender um fogo e preparar a carne na grelha, ou no moquém, como se diz entre os índios.

– Carne moqueada também tem lá suas delícias! – disse o urubu-rei, retirando de debaixo da asa negra um tição muito bem escondido para acender a grelha.

Os urubus, naquele tempo, tinham o dom de se transformar em gente e, assim, antes de se lançarem à comilança, despiram as asas e ficaram com a aparência de homens (daí, talvez, o gosto que tinham em assar a carne, ao invés de comerem-na crua, como hoje normalmente fazem).

– Ufa! Que calorão! – disse o urubu-rei, despindo o manto de penas.

Nus feito gente, os urubus atiraram-se finalmente à carne, e justo neste instante, irrompendo de dentro da mata, surgiram os índios, de olho aceso no fogo que ardia na grelha.

– Depressa! Apanhem um tição! – gritou o velho pajé, organizador do assalto.

Um grito de alerta do urubu que vigiava avisou, entretanto, os demais, e logo todos vestiram seus mantos negros de penas e levantaram voo estabanadamente. Antes de partir, o urubu-rei tomou a última fagulha que ardia na grelha e, depois de ocultá-la debaixo da asa, juntou-se às demais aves no céu.

O pajé correu alucinadamente até a grelha, remexeu no borralho e encontrou um último caquinho de carvão, com uma listrinha laranja correndo pra lá e pra cá.

– Aqui! Aqui! – gritou ele aos demais. – Vamos, assoprem, não deixem apagar!

Quinze bocas cercaram o carvãozinho e começaram a assoprá-lo agoniadamente, mas o fizeram com tanta força que a listrinha laranja acabou por se finar, e o carvão nunca mais se acendeu.

– Idiotas! – exclamou o pajé, irado.

Quando se acalmou um pouco, porém, viu que a anta ainda estava quase inteira.

– Eles voltarão logo – disse ele, animando-se outra vez. – Desta vez, vou ficar bem próximo da grelha, e vocês desapareçam e só surjam quando eu ordenar o ataque!

Os tembés fizeram como o pajé ordenara, enquanto ele tratava de cavar um buraco bem ao lado da carniça a fim de se enfiar ali dentro. O mau cheiro da anta decomposta era insuportável, mas quem disse que furtar fogo era coisa fácil e prazenteira?

Dali a pouco, os urubus voltaram, loucos de fome. Após despirem seus casacos pretos, que fediam mais do que a carniça, reacenderam o fogo e recomeçaram a banquetear-se.

Enquanto comiam, o pajé aproveitou para irromper da sua toca, ágil como uma marmota, e meteu a mão dentro da grelha para apanhar um tição.

Assustados, os urubus apanharam suas vestes e levantaram voo outra vez. O urubu-rei ainda tentou resgatar o tição, ou pelo menos extingui-lo na mão do pajé, fazendo uma ventania danada com as asas, mas o velho índio cerrara os dedos com tanta força que nem um furacão teria como apagá-lo.

No fim de tudo, os urubus sumiram nos céus, e o pajé viu-se dono do tição, que ainda ardia em sua mão. Que Anhangá o carregasse se aquilo não ardia como cem mil espetadas!

Como um Prometeu enlouquecido, o pajé tratou de atear fogo em todas as árvores de lenho incandescente que encontrava, a fim de preservar a chama, e teria colocado fogo na mata inteira se os demais índios não tivessem corrido para apagar aquelas labaredas todas.

COMO SURGIU O OIAPOQUE

Os índios oiampis explicam de maneira melancólica o surgimento do rio Oiapoque, no extremo norte do Brasil.

Tudo começou num tempo muito antigo, quando a fome e a doença estavam afligindo a aldeia dos oiampis. Tarumã, uma bela índia, estava grávida e decidiu procurar um lugar livre da moléstia e da penúria para criar seu filho. Com a barriga pesada, a pequena índia começou sua peregrinação solitária pela mata, mas passados alguns dias sentiu que não teria mais forças para ir a lugar algum.

– Ó, Tupã, não posso mais dar um passo e morrerei com meu filho no ventre! – exclamou ela, sozinha e esfomeada no meio da mata.

Então Tupã, apiedado, transformou-a numa enorme cobra.

Tarumã, convertida nessa cobra, encontrou forças para seguir adiante, levando sempre o filho no ventre, até que, um dia, encontrou um lugar aprazível, onde havia água e terra boa para plantar.

– Aqui haveremos todos de viver! – disse ela, pensando em retornar às pressas para avisar a gente da sua aldeia.

Antes de retornar, porém, ela deu à luz uma menina.

– Graças a Tupã não nasceu uma cobrinha! – disse ela, aninhando nas suas dobras o pequeno ser.

Tarumã refez todo o trajeto com a menina na garupa até chegar de volta à sua aldeia. Entretanto, viu-se surpreendida pela péssima recepção dos seus.

E não era para menos, já que Tarumã ainda ostentava sua figura de cobra gigante.

– É a Cobra-Grande! – disse um índio, apavorado.

Desde tempos imemoriais que os índios amazônicos nutrem um medo atroz da Cobra-Grande, um ser frio e devastador, cujo único propósito é alimentar-se de índios e animais. Imediatamente, um grupo de valentes surgiu com arcos e flechas e começou a arremessar uma verdadeira chuva de setas para cima da pobre índia-cobra.

Tarumã não foi atingida, protegida que estava por suas escamas, mas sua filhinha não teve a mesma sorte e acabou varada por uma flechada certeira.

Ao ver a filha morta, a cobra lançou para o ar um silvo de dor e tristeza tão aterrador que os índios saíram correndo em todas as direções. Imediatamente, um verdadeiro rio de lágrimas brotou das pupilas da cobra, preenchendo todo o sulco que ela abrira durante a sua viagem de ida e de volta. Um rio imenso formou-se, e a cobra mergulhou nas suas águas caudalosas, desaparecendo para sempre.

OS POTES DA NOITE

Dizem os índios tembés que outrora o céu não era tão alto como agora, e que um dia os passarinhos e todas as aves do céu, querendo mais espaço para as suas acrobacias, convocaram uma reunião para pôr o assunto em votação. Esse encontro foi quase tão concorrido quanto a famosa Assembleia dos Pássaros, ocorrida lá para as bandas do Oriente, e tinha ave de todos os jeitos, até mesmo criaturas que de aves só tinham as asas, tal como o morcego.

Aliás, o morcego foi o único ser provido de asas que repudiou a ideia de suspender o telhado do céu.

– O céu já não está alto o bastante? – disse ele.

Mas as aves não queriam saber de céu baixo e aprovaram por esmagadora maioria a elevação da abóbada dos céus.

Foi uma trabalheira imensa, mas as aves conseguiram, afinal, erguer o grande telhado azul de tal modo que, a partir dali, sobrou espaço para as piruetas aladas de todos os seres amigos do ar. O morcego, porém, foi punido por sua casmurrice, e desde então passou a dormir de ponta-cabeça.

– De hoje em diante, dormirá com o céu debaixo dos pés! – disse a coruja, ao decretar a sentença.

Mas, se os pássaros estavam felizes com a suspensão do céu, os índios continuavam desgostosos com as coisas do alto. O céu fora suspenso, mas e daí? Nem por isso a claridade diminuíra, já que não havia noite, ainda, em parte alguma do universo. Os tembés não aguentavam mais dormir com luz no rosto, e era preciso fazer alguma coisa para terem, pela primeira vez, uma noite de descanso real.

Até que um dia um velho índio, chegado dos fundos da mata, trouxe uma grande novidade.

– Acabei de descobrir o local onde o mau espírito Azã esconde seus dois grandes potes!

Aquilo parecia história de um velho maluco, mas, mesmo assim, o cacique decidiu tirar a dúvida.

– Está falando dos potes que guardam a noite? – disse ele.

– Sim, sim, eles mesmos! – bradou o velhote, sapateando os pés nus sobre o pó.

No mesmo instante, o cacique organizou uma expedição à mata para arrebatar os dois potes. Eles eram negros como a noite que escondiam e estavam metidos entre os joelhos do velho demônio, que nunca dormia. Quanto mais se aproximavam, mais escutavam o ruído que havia dentro dos potes. É que dentro estavam guardados, além da noite, todos os seres esparrentos que a povoam, tais como os grilos, os sapos e toda a fauna gritona das trevas.

– Tirar os potes do meio das pernas do demônio já se vê que não dá – disse o cacique.

Então, chamando seu arqueiro mais hábil, ordenou-lhe baixinho:

– Vare aqueles dois potes com uma única flechada.

O arqueiro rastejou no musgo até encontrar a posição ideal. Quando teve a certeza de poder espatifar os dois cântaros com uma única flechada, ele abandonou a posição de cobra rastejante e ficou de joelhos; depois, alçou o arco e caprichou bem na mira para só então disparar a seta. Um zum de vento cruzou a mata e passou por entre as pernas do demônio, espatifando um dos vasos (o outro, Azã conseguiu proteger, pois enganava-se quem pensava que ele dormia). De qualquer jeito, um dos potes se espatifara, e seus cacos saltaram na cara do demônio, deixando-o momentaneamente cego.

Com a explosão do primeiro pote, um jato veloz de trevas jorrou para fora e, depois de engolir o demônio e se espalhar por tudo, continuou avançando por toda a selva. Junto com a treva, vinham os habitantes da noite – onças, aranhas, cobras, morcegos, mosquitos e predadores de toda espécie, que se aproveitam da escuridão para espalhar o seu reinado de terror e de sangue.

Ao verem aquilo tudo crescer para cima deles, os índios largaram a correr com quantas pernas tinham, pois a noite se revelara pior, afinal, do que o dia sem fim. Eles só pararam quando chegaram à sua aldeia. Quase junto com eles chegou a noite, e então eles desabaram, exaustos, sobre o chão, pois não havia quem pudesse resistir àquela gostosa escuridão para tirar um bom ronco. Quando estavam, porém, no bom do sono, a barra do dia começou a erguer-se outra vez, e um raio de sol feriu o olho do cacique.

– Danação! Que noite mais curta é esta?

De fato, a noite fora muito curta. Então, ele percebeu que teria de quebrar também o segundo pote, que ainda restara inteiro na selva.

O arqueiro, pressentindo o chamado, apresentou-se, solícito.

– Você não! – disse o morubixaba, expulsando o arqueiro fajuto.

Então mandou chamar o urutau, um dos ajudantes de sua predileção. (Naquele dias, o urutau era ainda um índio, como todos os outros.)

– Vá você até a mata e quebre o segundo pote!

Urutau tomou do arco e se foi, embora pressentisse coisa ruim. Ao chegar perto de Azã, viu que ele ainda esfregava os olhos magoados e aproveitou para arremessar a sua seta sobre o pote.

Resultado: o vaso rachou inteiro, e nova onda de trevas se espalhou por tudo.

Assustado, o índio-urutau abriu o compasso das pernas e começou a correr com toda a energia, mas acabou enredando os pés num emaranhado de cipós, indo dar de cara na relva. Então, antes que pudesse erguer-se, a treva finalmente alcançou-o. O índio deu um grito e cobriu a cabeça com os braços. Quando destapou-se, porém, foi com um par de asas que o fez. Também um bico enorme havia crescido no lugar da boca, e um par de olhos amarelos e arregalados dava agora à sua cara um ar permanente de espanto.

E foi desde este dia que o urutau deixou de ser um índio para converter-se na ave noturna que hoje se conhece. De noite, o urutau grita, e durante o dia não faz outra coisa senão estar empoleirado num galho e acompanhar, de olhos arregalados, a marcha do sol pelos céus.

O GAVIÃO E O DILÚVIO

Havia, num tempo antigo, dois irmãos caçadores da tribo dos tembés. Certa feita, decidiram subir numa árvore para pegar o ninho do gavião Uiruuetê. Depois de improvisarem uma escada de varas, chamada mutá, o mais velho prontificou-se a subir. E o fez. Embaixo ficaram sua esposa e o irmão mais novo.

De repente, algo caiu do alto e foi enroscar-se nos cabelos do irmão que ficara embaixo.

– Deixe que eu desenrosco – disse a esposa do índio que havia subido.

Com dedos hábeis, a bela índia pôs-se a vasculhar o cabelo do cunhado. Ao ver tudo isso lá de cima, o irmão mais velho ficou cheio de ciúme.

– Estou tonto, suba você! – disse ele ao irmão, descendo.

Os dois trocaram de lugar. O irmão mais novo subiu, enquanto o outro, já no chão, cortava as cordas que uniam os degraus da escada, desconjuntando-a toda. Depois, tomando a esposa pelo braço, arrastou-a para casa, deixando o jovem dependurado no alto, sem meios de descer outra vez.

O jovem gritou, mas o irmão mais velho deixou-o entregue à própria sorte.

– Esta você há de me pagar! – disse ele, brandindo o punho, lá do alto.

Então, sem ter mais nada para fazer, decidiu vasculhar o ninho do gavião.

– Há apenas um filhote – disse ele, ao inspecionar o espaçoso ninho.

De repente, porém, chegou a esposa do Uiruuetê, agitando as grandes asas. Um pequeno tufão quase derrubou o índio, que ficou paralisado de medo, pois agora era o gavião ou o abismo.

Num primeiro momento, ele preferiu arriscar com a esposa do gavião.

– O que quer aqui, criatura pelada? – disse a ave, encostando o bico adunco no nariz achatado do índio.

O índio confessou que tinha ido ali para pegar alguns ovos.

– Pois daqui não sairá mais – disse a ave, empurrando-o com as asas para o fundo do ninho.

O índio sorriu amarelo e disse que fazia muito gosto em ficar por ali.

– Com gosto ou sem gosto, é assim que será – disse a esposa do Uiruuetê, atirando aos pés do índio o cadáver de um macaco. – Esfole o bugio até ele ficar parecido com você.

O índio começou a esfolar o macaco, mas era tão desajeitado que levou um tempão para arrancar apenas um pedaço do pelo.

– Olhe lá! – disse a ave, de repente, apontando para o céu. – Agora você vai ver como se faz!

Era o Uiruuetê chegando pelos ares com outro macaco.

O gavião macho pousou e fincou logo seus olhos arregalados no intruso.

– Por que trouxe esta comida imprestável para o nosso filhote? – disse ele à esposa. – Não sabe que a carne dessa raça imunda não agrada nem aos urubus?

– Ele é o nosso novo esfolador – disse ela, sem se intimidar.

– O quê?!

– É isso mesmo. Estou farta de pelar bugios enquanto você voa alegremente por aí. Até logo. Ensine-o a pelar os macacos que eu vou dar uma volta – disse ela, levantando voo.

Uiruuetê e o índio passaram o resto do dia cobertos de pelo e de sangue coagulado enquanto o filhotinho do gavião, aos seus pés, não parava de piar, louco de fome.

– Você gostaria de tornar-se um gavião? – disse o Uiruuetê, ao fim do trabalho.

– Está brincando? – disse o índio, nauseado dos pés à cabeça.

– É muito melhor do que ser homem – disse o gavião. – Não gostaria de voar?

O índio pensou nisso, e depois no irmão que o abandonara ali, e em toda a raça humana que não valia muito mais do que o irmão, e tomou finalmente a decisão.

– Muito bem, serei um gavião!

No mesmo instante o Uiruuetê ergueu voo.

– Espere aí, eu já volto!

O índio olhou para baixo e disse a si mesmo:

– Que outra coisa posso fazer, sem asa ou escada?

Dali a pouco, o gavião retornou com um bando de seus colegas. O índio sentiu o sangue gelar ao imaginar que estava prestes a ser transformado não em gavião, mas no prato principal dessa espécie.

Os gaviões pousaram no ninho e começaram uma dança, até que o índio sentiu crescer-lhe por todo o corpo um manto de penas. Seus braços viraram asas possantes, e suas pernas converteram-se em dois membros ásperos que terminavam em patas de dedos com unhas aduncas.

– O que houve comigo? – disse ele, apalpando-se todo com as asas.

– Você agora é um de nós! – disse, triunfante, o Uiruuetê.

O índio grasnou algo que nem mesmo os gaviões entenderam.

– Agora vamos tirar a desforra do seu irmão!

O ex-índio aprovou a ideia na hora e lançou-se junto com os outros na direção da aldeia. Quando chegou próximo a ela, viu o irmão pintando-se para uma grande festa que iria acontecer na taba.

Ao verem o bicho pousado, os amigos do índio alertaram-no:

– Veja que enorme gavião! Acerte-o com uma flechada!

O índio gabola tomou do arco e disparou uma flechada, mas o gavião desviou-se com notável destreza. Outra flecha foi arremessada, e de novo o gavião desviou-se. Então, farto do brinquedo, o gavião-índio avançou sobre o irmão e enterrou as garras no seu cabelo.

– Socorro! – gritou o desgraçado, ao mesmo tempo em que era suspenso no ar.

Ao alcançar uma boa altitude, todos os outros gaviões lançaram-se sobre a presa, picando-o vivo em pleno ar. Uma chuva de ossos foi tudo o que retornou do índio morto à sua aldeia natal.

– Agora trate de retirar seus pais da aldeia, pois vamos atacá-la – disse o Uiruuetê.

O gavião-índio chegou à oca dos pais e disse para virem com ele.

– Não vamos! Você converteu-se em demônio! – responderam.

Então o gavião cresceu em tamanho e, depois de agarrar a oca com o bico, suspendeu-a nos ares.

Ao verem aquilo, os demais índios tentaram impedir a fuga da oca voadora, pulando e estendendo os braços. Os pajés tomaram dos seus cachimbos e puseram-se a assoprar a fumaça na direção da oca, mas isto só serviu para empurrá-la ainda mais para longe.

Assim que a oca desapareceu por entre as nuvens, uma chuvarada equivalente a dez rios Tocantins sendo despejados do alto começou a desabar sobre a aldeia, submergindo tudo em minutos.

Alguns, porém, conseguiram escapar, escalando palmeiras. Durante vários dias, imersos em trevas, eles lançaram coquinhos sobre as águas para ver se elas haviam baixado, mas o ruído soava sempre próximo. Então, começaram a chamar-se uns aos outros, para ver se ainda viviam, e tanto gritaram que o seu vozerio rouco acabou por transformá-los em sapos.

A lenda não especifica se todos os índios sobreviventes se transformaram em sapos, mas devemos crer que não, pois doutra forma os tembés, hoje, seriam todos habitantes dos rios.

A CONVERSÃO DE AUKÊ

Aukê é um personagem da tribo Krahó, das margens do rio Tocantins. Mesmo antes de nascer, esse ser singular já andava aprontando por aí, como veremos agora.

É que ele não queria nascer de jeito nenhum. Assim, os meses da gestação se passavam, e ele permanecia escondido no ventre da mãe. Só à noite é que ele dava uma saidinha para ver como era o mundo, transformado numa preá ou numa paca, mas logo ao amanhecer retornava ligeirinho para a sua morada natural e aconchegante.

Até que um dia não teve mais jeito, e o pequeno Aukê foi obrigado a fazer a sua entrada oficial no mundo. Todos o acharam um belo menino, mas ele crescia muito rapidamente. Além disso, tinha o dom realmente impressionante de ficar igualzinho a todos os que dele se aproximassem.

Assim, certa feita, ao receber a visita do membro mais velho da aldeia, um velhote de costas encurvadas, o moleque transformou-se instantaneamente num ancião igualzinho a ele.

– Como vai o nosso menino? – disse ele, gengivando.

– Seu velho sujo! – respondeu o moleque, que tinha virado outro velho sujo.

Quando o velho saiu, chegou um homem branco, de barba na cara. Instantaneamente uma barba preta cresceu no rosto do indiozinho até ele ficar com a cara idêntica do homem branco.

Só quando corria para os braços da mãe é que Aukê voltava a ser um indiozinho normal, pequeno e pra lá de moleque.

Essas metamorfoses, porém, enchiam de terror a aldeia inteira, e logo trataram de enxergar no menino uma encarnação qualquer de Anhangá, ou o Diabo dos homens brancos.

Então, quando o medo estava bem entranhado, passou-se esta conversa entre o pai e o avô de Aukê, dois índios muito malvados:

– Que faremos com esta cria de Jurupari? – disse o pai.

– Só há um jeito – disse o avô, assoprando a mão como quem sopra um resto de pó.

Para quem não entendeu, eles tramavam a morte do menino. Assim, na manhã seguinte, o avô avistou Aukê brincando no barro e lhe disse, como quem concede o mais alto privilégio da Terra:

– Venha, meu netinho! Venha passear na mata com o vovô!

Aukê levantou-se e seguiu-o. Desta vez, o pequeno Aukê, por alguma razão que só as lendas explicam, não se transformou numa criatura igual ao avô.

Os dois caminharam mata adentro até chegarem próximo a um abismo.

– Olhe só como é belo e profundo! – disse o velho, conduzindo o menino até a beira.

Aukê olhou superficialmente, só para satisfazer o avô, pois não achava graça alguma naquilo.

Neste instante, o velho empurrou o guri e voltou trotando para a aldeia.

Felizmente, nem bem começara a cair, o garoto transformou-se numa folha seca e foi descendo de mansinho até pousar, são e salvo, no solo. No mesmo dia, Aukê voltou para casa como se nada tivesse acontecido. Ao vê-lo, o avô correu para abraçá-lo.

– Meu netinho! Pensei que tivesse caído e morrido! Todos nós lamentávamos o desastre!

A tribo inteira estava consternada, sim, mas era por ter o menino de volta.

No dia seguinte, o avô levou Aukê para um novo passeio na mata. Ao chegarem nas brenhas, o velho mandou o netinho juntar madeira e fazer uma fogueira bem grande.

– Fogueira pra quê? – perguntou o menino, torcendo a boca.

– Vamos moquear uma carne!

O garoto ficou olhando desconfiado para o velho. Moquear carne para que, se o avô não tinha mais nenhum dente na boca?

O fato é que, quando a fogueira estava bem alta e crepitante, o velho chegou pelas costas de Aukê e empurrou-o para dentro das labaredas.

Desta vez, não houve prodígio algum: o guri entrou nas chamas e não saiu mais.

A partir daquele dia, o lugar onde Aukê morrera se tornou lugar de maldição, e as pessoas só iam lá em grupos, a fim de saciarem a sua sede de morbidez.

Numa dessas excursões, os visitantes deram de cara com uma casinha erguida no lugar onde ardera a fogueira. Havia alguém lá dentro, pois ecoava voz de gente.

Assustados, os indígenas voltaram correndo para a aldeia.

– Aukê ressuscitou e está morando numa casa! – disse um dos fugitivos.

– Onde? – gritou o avô.

Um segundo índio, que não reconhecera o velho, esclareceu:

– Lá adiante, onde o avô malvado queimou vivo o neto.

Todos reuniram coragem e voltaram ao lugar. De fato, lá estava a casa, e, ao seu redor, uma grande plantação. De dentro da casa surgiu Aukê, um índio adulto, agora. Ele estava casado com uma índia e ambos passavam muito bem.

– Vovô, como está? – disse Aukê, ao reconhecer o velho.

Em sua voz não havia o menor sinal de rancor.

– Pode entrar sem susto, meu avô, pois não guardo rancor algum. Tornei-me cristão.

O velho ficou desconfiado.

Então Aukê levou todos até a beira do rio, para lhes contar uma parábola. Depois que se tornara cristão, ele aprendera a pregar moral e achou que aquela era uma excelente ocasião para isso.

Aukê tomou uma pedra e lançou-a à água.

– Viram como ela vai ao fundo ao cair?

Todos balançaram obedientemente a cabeça.

– Assim será a alma de vocês quando morrerem. Cairá no poço da morte e não subirá nunca ao céu.

Todos engoliram em seco.

Aukê tomou outra pedra, envolveu-a numa folha seca e arremessou-a também na água. A pedra também foi ao fundo, mas a folha destacou-se e subiu ligeiro à tona.

– Aquela folha é a minha alma. A pedra é o corpo que desce à sepultura, mas a alma cristã sobe imediatamente ao céu.

Depois da pregação, os índios foram levados de volta para a casa de Aukê. Todos deram graças a Tupã que o castigo se limitara a uma ameaça vaga. Aukê presenteou-os ricamente, dando-lhes espingardas, facões, pólvora. À sua mãe ele deu um caldeirão. Depois, despediu-se de todos, fazendo-lhes o sinal da cruz.

– Voltem sempre que quiserem, meus irmãos em Cristo, e que Deus os abençoe!

KOIERÉ, O MACHADO CANTANTE

Os índios krahós, do rio Tocantins, possuíam outrora um machado mágico chamado koieré. Sua lâmina era feita de pedra, em formato de âncora, e ele era usado tanto na guerra quanto nas cerimônias religiosas da tribo.

Os krahós viviam em guerra com seus vizinhos. O seu maior desafeto eram os krolkametrás, uma tribo rival.

Certa feita, as duas tribos estavam se enfrentando, quando uma flechada certeira abateu o portador do machado cantante. O valente guerreiro krahó caiu para um lado, e o machado, para o outro.

Como um raio, o matador correu e apoderou-se da arma.

– Agora o koieré pertence aos krolkametrás! – urrou ele, brandindo no ar o machado.

Finda a matança, todos voltaram satisfeitos para as suas casas, cada lado levando os inimigos mortos para serem assados nas grelhas.

Mas quem ia feliz mesmo era o novo portador do koieré, que era casado com uma bela índia. Antes mesmo de chegar em casa, decidiu que, agora que se tornara um personagem importante da aldeia, deveria arrumar coisa ainda melhor do que a sua bela índia.

Não demorou muito, apareceu uma candidata, e o índio se mudou para a oca dela. Na pressa, porém, acabou esquecendo o machado dependurado em cima da sua rede.

Durante a noite, a índia abandonada escutou por entre os intervalos dos seus soluços o machado falar-lhe:

– Mamãe, vamos passear!

Índias são muito maternais. Por algum motivo, o machado passara a chamá-la de mamãe, e bastara isso para ela ficar enternecida com o objeto. Tomando-o nos braços, ela saiu porta afora para passear.

Durante a noite inteira a índia enjeitada embrenhou-se pelas matas, enquanto o machado lhe ensinava todas as canções de amor e de guerra dos krahós.

Logo, toda a aldeia ficou sabendo do caso, e a notícia se espalhou, chegando à aldeia dos krahós. Então, o irmão do primitivo dono do machado decidiu recuperá-lo.

A esta altura, o novo dono já havia retomado o objeto e foi com raiva que recebeu a visita do emissário.

– De forma alguma o restituirei! – bradou ele.

Mas o cacique da tribo disse que havia regras que o obrigavam a restituir o objeto aos inimigos.

– Anhangá e maldição! – rosnou o novo dono. – Pois saibam que só o restituirei àquele que me vencer na corrida de toras!

Corrida de toras era uma competição que os índios disputavam tendo atravessada às costas uma tora de madeira de cerca de um metro de comprimento.

– Quem me vencer poderá não só levar de volta o machado como me matar e comer a carne do meu corpo! – disse o desafiante, seguríssimo.

O emissário retornou aos krahós e repetiu ao pretendente o desafio.

– Corrida de toras nenhuma! – disse este. – Vamos reaver o koieré à força!

Então os krahós armaram-se de flechas e porretes e rumaram para a aldeia dos krolkametrás, prontos para mais uma bela dança das flechas. Quando chegaram à divisa da aldeia inimiga, foram lançados ao ar os brados de guerra das duas tribos valorosas, e as flechas assoviaram de novo, para valer. Mas quem mais trabalhou foi, como sempre, o machado mágico, que não parou de cantar um segundo enquanto levava adiante a sua obra guerreira de ceifar vidas, desta vez as dos krahós, seus antigos donos.

A certa altura, porém, o novo dono do machado viu-se cercado por algumas dezenas de adversários e não teve alternativa senão correr com machado e tudo. Não sabemos que espécie de canção o machado entoou na fuga, mas o fato é que, ao enfiar o pé num buraco de tatu, o krolkametrá foi ao chão e perdeu, além do machado, a própria vida, estraçalhado pelas lanças adversárias.

E foi assim que o koieré voltou à tribo dos índios krahós.

POR QUE ONÇA NÃO GOSTA DE GENTE

Os índios kayapós explicam da seguinte maneira a razão de a onça detestar gente.

Tudo começou quando um índio viu-se abandonado no alto de um ninho de araras. Ele subira lá para pegar alguns ovos, mas terminara abandonado pelo irmão depois de, por descuido, ter-lhe jogado pedras em vez dos ovos.

O tempo passou, e o índio, que se chamava Botoque, já estava quase morto de fome quando uma onça apareceu.

– Quer uma ajuda para descer? – disse a pintada, ao ver o índio sozinho lá no alto.

Apesar de esfomeado, o índio achou melhor não ir na conversa da onça.

– Não, obrigado. Você quer é me comer!

A onça jurou que não o faria.

Depois de muita negociação, Botoque finalmente desceu, e a onça, caso raro em episódios desta natureza, nada fez para comer o índio. Em vez disso, deixou que ele montasse nas suas costas.

– Vamos para a minha casa. Lá tem carne assada à vontade!

Botoque, mais morto do que vivo, foi sacolejando de bruços nas costas da onça até a casa onde ela morava.

A mulher da onça, contudo, não gostou de Botoque.

– Qual Botoque! – disse ela, antipatizando logo com o forasteiro.

Depois, voltando-se para o esposo, alertou-o:

– Deixe de ser ingênuo, que eu conheço essa gente! Essa é uma raça mofina e ingrata!

Mas a onça fez ouvidos moucos e instalou o índio na casa e mandou-o servir-se à vontade da carne assada que abundava por cima das grelhas.

Botoque, que nunca tinha visto carne assada, adorou. Na verdade, a sua gente não conhecia sequer o fogo, e foi com grande espanto que ele viu a onça acendê-lo num tronco de jatobá.

E a mulher sempre reclamando.

– Deixa de ser bobo, olha que essa raça é traiçoeira!

Então, no dia seguinte, quando a onça saiu para caçar outra vez, a fêmea começou a azucrinar o índio, tratando-o da pior maneira possível, obrigando-o a esconder-se até a volta da onça.

Quando o felino voltou, resolveu ensinar ao afilhado o uso do arco.

– Olha só! – exclamou a fêmea, levando as duas mãos à cabeça. – Ficou louco de vez?

Mas a onça gostava cada vez mais da companhia do jovem, e ensinou-lhe todas as artes do arco com tamanho gosto que logo Botoque tornou-se quase tão hábil quanto o seu mestre.

Então, quando a mulher da onça começou a persegui-lo novamente, na ausência do esposo, Botoque não teve dúvida e arremessou uma flechada certeira no peito dela, matando-a na hora.

Depois disso, Botoque fugiu, não sem antes levar um farnel inteiro com a carne assada da grelha. Ao chegar na sua aldeia, contou tudo quanto se passara no covil da onça.

– Ela sabe manejar o fogo e assar carne como ninguém!

A boca dos índios encheu-se de água, e todos pediram a Botoque que os levasse até lá.

– Nós precisamos do fogo! – disse o cacique.

Então eles retornaram às pressas à casa da onça. Como ela ainda devia demorar, os índios puseram-se a recolher toda a carne assada, além de assarem as que ainda estavam cruas e gotejantes de sangue. Depois, ensacaram tudo e não deixaram nada para a onça.

Mas o pior foi terem carregado consigo o tronco de jatobá onde a onça costumava acender o seu fogo, não deixando nada ali senão, por descuido, uma pequena brasinha, que o pássaro azulão recolheu com o bico para levar ao seu ninho a fim de esquentá-lo nas noites frias de inverno.

Quando a noite caiu, a onça finalmente retornou e descobriu que não havia carne nem fogo, e que a sua mulher estava morta, varada por uma flecha.

– Pobre esposa, você estava certa: essa raça é mofina mesmo! – disse ele, envergonhado.

Desde então, de tanto desgosto, a onça ficou sem fogo algum, e um brilho amarelo nas suas pupilas foi tudo quanto dele restou. Desaprendeu, também, as artes do arco e da flecha, de tal modo que suas armas passaram a ser apenas as suas presas e as suas garras de unhas longas e aduncas.

O SAPO E A ONÇA

Esta lenda vem da tribo Kayapó e é um exemplar primitivo da espécie "a união faz a força".

Tudo começou quando, certo dia, a onça encontrou o sapo num charco, também chamado no Brasil de igapó. A onça estava furiosa desde que lhe haviam roubado o fogo e não queria conversa com ninguém, muito menos com um reles sapo.

– Bom dia, dona onça – disse o sapo.

A onça estava com muita raiva, disposta a abocanhar qualquer um que se atravessasse no seu caminho, e só não engoliu o sapo por achá-lo muito asqueroso.

– Como ousa dirigir a palavra a mim, ser repugnante e desprezível? – rosnou ela.

– Meu amigo, tudo é questão de opinião – respondeu o sapo, fleumaticamente. – As sapinhas não me acham nada repugnante, e não conheço ninguém que me despreze.

– Pois eu o desprezo!

– Por favor, não banque a tola. Se me desprezasse, não estaria aí me ofendendo.

Diante disso, a onça ficou ainda mais furiosa.

– Desprezível, sim! Quem olha para você com respeito? Ninguém!

– Todos me respeitam. Meu grito, por exemplo, é o que infunde mais terror em toda a floresta.

Pela primeira vez desde que lhe haviam surrupiado o fogo, a onça arreganhou os dentes sem ser de raiva e despejou uma gargalhada.

– Ria e o mundo rirá contigo – disse o sapo, superiormente.

– Quer dizer que o seu rugido é o mais apavorante da floresta? – disse a onça, após recuperar o fôlego. – Pois esta eu pago para ver!

Então a onça trepou numa pedra e lançou aos ares o seu urro mais tétrico e desafiador.

Instantaneamente, uma algazarra de coisas fugindo por terra, céu e água agitou a floresta. Foi tamanha a balbúrdia que, durante cerca de cinco minutos, só se escutou o eco horrendo da fera e das criaturas se atropelando na fuga. Somente quando o último eco do seu grito se desfez no ar a onça desceu lentamente do seu pedestal de glória. Sua cabeça estava erguida, e um brilho insuportável de soberba fazia com que suas pupilas amarelas cuspissem faíscas de regozijo.

Então foi a vez de o sapo demonstrar o poder da sua voz. Depois que a onça abandonara o seu posto, o sapo galgou num pulo a pedra, encarapitando-se no topo.

– Muito bem, agora o urro do sapo! – anunciou ele, como um mestre balofo de cerimônias.

O ruído do riso da onça obrigou o sapo a aguardar alguns instantes. Somente quando tudo fez silêncio outra vez foi que o sapo encheu bem o papo até torná-lo translúcido e arremessou, finalmente, o seu coaxar rouco de sapo.

Então, aconteceu uma espécie de reverberação total, como se alguém houvesse espalhado pela selva inteira milhares de caixas de som amplificadas ao máximo. As árvores tremeram desde as raízes até as folhas, enquanto o solo chacoalhava.

Incapaz de suportar a zoeira terrificante, a onça levou as duas patas às orelhas, tentando suportar dignamente aquele coaxar colossal. Mas, quando viu que não podia mais suportar, atirou tudo para cima e tratou de dar no pé.

– Ei, espere! – gritou o sapo do alto da pedra. – Quer apostar como sou também mais veloz?

Mas a onça já não escutava mais nada, desaparecida que estava nas brenhas da mata.

Só então o sapo lançou um segundo coaxar, que foi a ordem expressa para cessarem todos os outros, já que, na verdade, não só ele havia gritado, mas todos os sapos e assemelhados da floresta, tais como as jias, as rãs, as pererecas, os cururus e o restante da valorosa dinastia dos seres coaxantes.

Diz a lenda que, durante a fuga, a onça acabou perdendo um olho num graveto – um detalhe mórbido que não tem a menor importância para o desfecho deste conto, mas que tem para o começo do seguinte, no qual veremos elucidar-se um surpreendente enigma da nossa fauna.

AS PERNAS CURTAS DO TAMANDUÁ
OU
POR QUE ONÇA NÃO GOSTA DE TAMANDUÁ

Se alguém sempre teve a curiosidade em saber por que o tamanduá tem as pernas curtas, é chegada a hora de matá-la, pois os índios kayapós, desde sempre, sabem perfeitamente a razão.

Estes senhores descobriram que, em priscas eras, o tamanduá possuía pernas tão longas quanto as da garça.

Ninguém na mata, nem mesmo o coelho, podia vencer o tamanduá numa corrida.

Além das pernas compridas, ele possuía também um gênio perverso, fruto talvez da sua vaidade. Foi este defeito que o fez praticar o ato perverso que dá início, de verdade, a esta narrativa.

Diz-se, pois, que, ao fugir dos rugidos assustadores de um sapo – ou, antes, de um exército de sapos, mas que ela imaginava ser apenas um –, a onça acabou perdendo um dos seus olhos, ao roçá-lo num galho. Caolha e assustada, ela foi surgir a alguns quilômetros de onde saíra.

– Ai, ai! Humilhada e sem um olho! – queixava-se ela, quando o tamanduá a escutou.

– O que houve, dona onça? – disse ele, espichando o seu narigão enxerido.

– Como "o que houve"? Não está vendo? Perdi um dos meus ricos olhos!

– Não se preocupe – disse o tamanduá, assumindo um ar professoral. – Vou restituí-lo para você.

A onça sabia perfeitamente que o tamanduá não era médico nem tinha dom sobrenatural algum. Não havia qualquer comentário em toda a selva que pudesse levá-la a crer nisso.

– O tamanduá não passa de um patusco – diziam todas as vozes.

Acontece que o desespero faz crescer a esperança até nas pedras, e foi com este sentimento desatinado que a onça se entregou às artes médicas do tamanduá.

— Por favor, devolva meu olho e lhe serei eternamente grata! — disse a felina, e fez muitíssimo mal em dizer, pois qualquer um nas matas sabe que gratidão não é coisa de onça.

Sem perturbar-se, o tamanduá espichou as suas unhas em pinça e ordenou:

— Feche o olho são — falou ele. — Quando acordar, terá outra vez os seus dois olhos.

A onça fechou os olhos, expectante, e sentiu uma dor aguda na órbita cheia.

Quando abriu-a, novamente, não tinha mais olho algum.

Nesse ponto, entra em cena o azulão, aquela mesma ave que ficara com o último tição de fogo arrebatado à onça por um índio ingrato (ver o conto "Por que onça não gosta de gente"). O azulão sempre fora amigo da onça, e por isso, penalizado, decidiu fazer algo para ajudar a bichana.

Ligeirinho, o azulão saiu voando por tudo e descobriu os dois olhos perdidos. (O tamanduá, depois de ter cegado a onça, tratara de dar no pé.) Depois, retornou até a felina e disse:

— Fique quieta, vou recolocar os seus olhos.

— Oh, azulão querido! Serei eternamente grata a você! — choramingou a onça.

Num trabalho de altíssima precisão cirúrgica, o azulão reintroduziu os dois olhos da onça em suas respectivas órbitas, colando-os com uma resina de árvore.

— Pronto, aí está! — disse o azulão.

A onça abriu os olhos e viu tudo claro outra vez, inclusive a avezinha, que já estava trepada no topo de um galho altíssimo (pois ela não era boba nem nada).

— Agora aquele canalha do tamanduá me paga! — rugiu a onça, disparando atrás do seu malfeitor.

O tamanduá corria feito um pé de vento, mas a onça, mesmo estando muito atrás, não desistia, e tanto perseguiu o inimigo que este acabou cansando.

— O jeito é me esconder neste buraco de tatu! — disse ele, arfante, se enfiando no chão.

Miséria era que o buraco fosse infinitamente menor que ele, e por isso suas pernas compridas acabaram ficando de fora. Quando a onça chegou, foi uma festa.

— Estas pernas me pertencem! — disse ela, e num salto abocanhou e cortou pela metade as pernas do tamanduá.

Depois disso, o tamanduá passou a andar com aquelas pernas curtas que todo mundo conhece. Mas, em compensação, acabou desenvolvendo os braços, e é com o seu famoso "abraço de tamanduá" que esse valoroso mamífero se defende, desde então, da onça e dos seus inimigos.

COMO SURGIRAM AS DOENÇAS

Os índios umutinas explicam o surgimento das doenças como uma solução para evitar a superpopulação das aldeias. Naqueles dias antigos, os velhos não morriam de coisa alguma, nem ficavam doentes, nem perdiam os dentes. Como tinham todos os dentes na boca e um apetite de leão, comiam o dia todo sem produzir nada, tirando o alimento até das crianças.

Certa feita, três homens decidiram encontrar uma solução para o problema (sem se darem conta de que um dia eles também seriam tratados como um problema). Foram, então, fazer uma visita à Lua, que entre os índios é homem e se chama Hári.

– Que solução você tem para que não acabe faltando comida para todos? – disse um dos três futuros velhos.

Hári, que era também um feiticeiro, coçou a cabeça e disse:

– Infelizmente não posso ajudar. Procurem Mini.

Mini era o Sol. Os três índios foram para a casa dele. Depois de muito caminhar, chegaram, afinal, ao seu destino.

– Bom dia, Mini. Dê-nos o veneno mais forte que tiver em seu herbanário.

O Sol ergueu as sobrancelhas.

– Veneno para quê?

– Queremos um veneno para acabar com os velhos da nossa aldeia.

– Vocês estão loucos?

– Não, não estamos. É preciso fazer isso ou nossa aldeia inteira morrerá de fome.

Então o Sol reconsiderou e trouxe da sua sala de moléstias uma flecha mágica. Junto com ela vinham várias doenças.

Os índios escutaram atentamente e pareceram satisfeitos.

– Mas, cuidado – alertou o Sol. – Só atirem a flecha depois de se esconderem atrás de uma árvore, pois ela costuma voltar para atingir o seu arremessador.

Como sempre acontece, o aviso fatal entrou por um ouvido e saiu pelo outro. Tudo quanto eles pensavam era em dar um jeito nos velhos da tribo.

Os três índios andaram e andaram até chegarem, enfim, à aldeia.

– Vamos experimentar esta flecha de uma vez! – disse um dos três.

Após tomar do arco, o arqueiro fez pontaria em um velho que estava sentado embaixo de uma árvore desde o raiar do dia comendo mandioca e milho verde.

Antes de suspender o arco, o arqueiro escolheu uma doença.

Então a flecha não tardou a voar direto no velho. Ela varou o ventre dele e retornou na direção do arqueiro, que só não foi atingido porque lembrou, no último instante, do aviso do Sol.

Os três ficaram escondidos para ver o efeito da seta. Em menos de meio minuto, o velho começou a se sentir mal e acabou morrendo. E assim os três índios saíram escondidos pela aldeia, dando flechadas nos velhos.

Então, certo dia, outro índio resolveu pedir emprestada a flecha mágica para caçar animais.

Na pressa, os três índios esqueceram de avisar a ele sobre o vai e volta da flecha, e o caçador partiu alegremente, sem desconfiar do perigo.

No mesmo dia meteu-se na selva e procurou a melhor caça que pôde.

– Tem de ser um bicho daqueles! – disse a si mesmo, enquanto espreitava.

Não demorou muito e surgiu um veado enorme, maior do que um cavalo. O índio assestou a flecha e soltou a corda. A seta foi até o veado, cumpriu com o seu papel de abatê-lo e retornou até o arqueiro. Como este estava desavisado da volta, em vez de esconder-se atrás de uma árvore, ficou parado no mesmo lugar, recebendo a flechada da volta bem no meio do peito.

COMO SURGIRAM AS ESTRELAS

Tudo começou quando um grupo de mulheres andava na floresta socando milho para fazer pães e bolos para os seus maridos, que estavam na caça. Um indiozinho que estava por ali surrupiou da mãe boa parte do milho e fugiu, escondido. Ao chegar em casa, pediu à avó que preparasse um pão de milho para ele e seus amiguinhos.

O bolo foi sovado e assado, e as crianças comeram até se fartar! Depois, com medo de serem punidos, resolveram cortar a língua da vó para que ela não pudesse denunciá-los.

Em seguida, fugiram para a mata, onde amarraram uns nos outros todos os cipós que encontraram pendurados nas árvores.

– Chamem o colibri! – gritou um deles.

O colibri surgiu, pequenino, batendo as asas.

– Tome esta ponta no bico e suba até o mais alto céu! – ordenou o garoto.

A avezinha tomou a ponta do cipó gigante e subiu até sumir nas nuvens.

Imediatamente, os indiozinhos começaram a subir pela corda, enquanto o colibri a sustentava do alto.

Neste meio-tempo, as mães já tinham chegado à taba e descoberto o que tinha acontecido. Ao olharem para longe, avistaram os meninos subindo aos céus pelo cipó.

Juntas, correram para a mata pedindo a eles que descessem, pois temiam que caíssem. Ao verem que eles não desceriam jamais, as mulheres puseram-se a subir pelo mesmo cipó.

De repente, um som pavoroso ecoou nos céus e a corda caiu, trazendo junto todas as mães. Antes, porém, de chegarem ao chão, elas transformaram-se em feras, e foi assim que passaram a viver sobre a terra. Os indiozinhos, por sua vez, como já estavam no céu, não conseguiram mais voltar. Desde então são obrigados, com seus olhinhos brilhantes, a assistir lá de cima o desfile perpétuo das mães convertidas em animais ferozes.

O BATISMO DAS ESTRELAS

Como na maioria das lendas indígenas, tudo se passa num clima meio de sonho: num passe de mágica, arraias se tornam jatobás, e de jatobás se tornam estrelas.

Diz-se, pois, que certa feita um índio foi pescar com seu filho. Os dois estavam vasculhando as águas de um rio quando o garoto gritou:

– Veja, papai, uma arraia!

O pai avistou o bicho e, após fazer rápida pontaria, lançou a flecha.

– Pimba! – gritou o menino, pulando de alegria. – Vamos assá-la, papai! Estou com muita fome!

O pai mandou-o, então, acender uma fogueira, enquanto enrolava a arraia numas folhas. Depois de ajeitá-la bem no pequeno forno improvisado, o índio retornou ao rio.

– Vou ver se pesco mais alguma coisa – disse ele, enquanto o indiozinho vigiava o assado.

Um tempo se passou (não muito) até que o garoto berrou:

– Papai, a arraia já assou!

Mas o índio sabia que era cedo demais.

– Não! É preciso esperar muito mais!

Dali a pouco (bem pouquinho mesmo), o menino de novo:

– Papai, a arraia já assou!

– Assou nada! Espera mais um pouco!

Mas o menino tanto incomodou, louco de fome que estava, que o índio apareceu com cara de poucos amigos. Depois de retirar a arraia do seu invólucro, constatou que, de fato, ela ainda estava crua.

– Está vendo? Coma-a crua, agora!

O índio atirou a arraia longe e voltou sozinho para casa.

O indiozinho começou a gritar e a chorar. No mesmo instante, gritos assustadores explodiram por toda a mata, enchendo-o de terror.

Então, sentindo-se indefeso, abraçou-se a um pé de jatobá e gritou:

– Jatobá, meu avô, sobe comigo!

O pé, que era pequeno, começou a crescer como o pé de feijão do João, levando consigo o menino. Quando estava altíssimo, tão alto que o garoto podia tocar o céu, o jatobá parou de crescer.

Só que a gritaria da floresta não cessara. Quem a promovia eram uns espíritos chamados Kogai, que estavam sempre ao redor do jatobá.

Então, a noite desceu, e, uma a uma, as estrelas começaram a surgir como pirilampos ao redor do menino empoleirado. Cada vez que uma surgia, escutava-se dos espíritos algo parecido com um assovio, que é a maneira de estes entes se comunicarem.

Quando a primeira estrela surgiu, o assobio lhe disse o seu nome, e depois foi dizendo o nome de todas as outras, inclusive das constelações.

– A Constelação Akiri! As Pequenas Garças! A Tartaruga da Água! Os Rastros da Ema!

O garoto ia retendo na memória cada um dos nomes, e passou toda a noite nesse brinquedo, até que a aurora surgiu. Então, o manto negro da noite foi recolhido rapidamente para as profundezas do horizonte, levando consigo todas as suas joias e os seus adornos.

As vozes cessaram, e o garoto, sentindo-se só e infeliz naquela vastidão sem estrelas, pediu ao jatobá que descesse com ele. A árvore obedeceu, e o garoto pulou, feliz, para o chão, indo levar à sua aldeia o conhecimento que adquirira durante toda a noite.

A PESCARIA DAS MULHERES

Esta lenda, uma verdadeira farsa silvícola, também é dos bororos e narra uma divertida disputa entre homens e mulheres.

Tudo começou quando os homens, perdendo a sorte ou a habilidade na pesca, começaram a retornar, todos os dias, de mãos abanando do rio. Aquilo já virara rotina, e era sob o olhar de censura das mulheres da aldeia que eles chegavam de cabeça baixa e samburá vazio.

– Aí está, nada de peixe, outra vez! – disse uma índia velha. – O que houve, seus tolos, desaprenderam a pescar?

Os homens não sabiam o que dizer, mas tanto desaforo escutaram que um dia o cacique resolveu desafiá-las.

– Vocês falam, falam, mas não seriam capazes de pescar nem um lambari morto!

Então as mulheres, despeitadas, resolveram mostrar do quanto eram capazes. Tomando os arcos das mãos dos esposos, elas partiram para dentro da mata, sob o riso geral.

Ao chegarem à beira do rio, elas começaram a chamar pelas lontras.

– Venham, lontras amigas, precisamos da sua ajuda!

As lontras apareceram e foram rapidamente informadas de tudo.

– Tragam o máximo de peixes que puderem! – disse a líder das mulheres.

Ignora-se que espécie de trato foi fixado entre as mulheres e as lontras, mas o fato é que as lontras mergulharam nas águas e começaram a caçar todos os peixes, atirando-os para a margem. Foi uma verdadeira chuva de peixes, que as mulheres aparavam nos samburás até eles transbordarem.

Quando o dia estava terminando elas retornaram, enfim, para a aldeia. Homem algum foi capaz de acreditar no que seus olhos viam.

– Vejam, os samburás transbordam!

– Sim, e que peixões!

No dia seguinte, os homens regressaram ao rio, certos de que a maré virara e de que eles também seriam capazes de encherem-se de peixes.

Mas retornaram, mais uma vez, de mãos abanando.

– Dá cá isto! – disse a líder das mulheres, tomando novamente o arco.

As mulheres voltaram ao rio, celebraram novo pacto com as lontras e, no fim do dia, retornaram com tantos peixes que todos os moquéns da aldeia tiveram de ser acesos para evitar que toda aquela carne acabasse se estragando.

— Precisamos descobrir o que elas fazem para arranjar tanto peixe! – disse o cacique.

O velho morubixaba temia, acima de tudo, que as mulheres voltassem a comandar os destinos da taba, tal como se dizia ter acontecido nos velhos dias de opressão feminina.

— Elas são espertas e não permitem que nos aproximemos enquanto pescam – disse um índio que tentou espiá-las, mas acabou atingido por uma flecha no pé.

Então o pajé, senhor dos segredos da mata, foi incumbido de encontrar uma solução. Depois de ingerir uma puçanga de ervas e entoar versos mágicos, ele vidrou os olhos e disse, num tom cavernoso:

— Chamem a quituiréu!

Quituiréu era uma pequena e prosaica ave, hábil na espionagem.

— Siga as mulheres e descubra por que elas pescam com tanta facilidade – disse o mago indígena à avezinha, que sumiu logo, num pé de vento, para dentro da mata.

No fim do dia, antes que as mulheres regressassem, a pequena ave espiã retornou. Todos os índios acocoraram-se ao redor do pajé enquanto a quituiréu cochichava na cova da sua orelha marrom o grande segredo.

Assim que o pássaro terminou de pipilar, o pajé arregalou os olhos e anunciou:

— As índias trapaceiam junto com as lontras!

Então o cacique se pronunciou:

— Não façam nada quando elas voltarem da pesca!

— Como não? – bradou alguém. – Vamos dar-lhes uma boa surra!

— Nada disso – insistiu o cacique. – Façamos de conta que nada sabemos. Não demonstremos surpresa nem cólera. Isso as deixará intrigadas, e é o quanto nos basta, por ora.

E assim se fez. Quando as mulheres retornaram de samburás cheios, os homens não deram a mínima e continuaram em silêncio, de olhos fitos no ar ou no chão.

— O que houve? – disse a índia velha.

Na manhã seguinte, os homens anunciaram que iriam tentar nova pescaria.

— Podem ir – disse a mulher, certa de que seria outro fracasso. – Graças a Tupã temos peixe suficiente para as próximas trinta pescarias fracassadas de vocês.

Mal sabiam elas, porém, que os homens levavam consigo cordas recobertas de visgo, uma resina grudenta. Ao chegarem na beira do rio, o quituiréu chamou, com sua voz fininha, as lontras.

As lontras, imaginando tratar-se outra vez das mulheres, surgiram das águas alegremente.

– Agora, atirem as cordas! – gritou o cacique.

Os índios pularam sobre as lontras e começaram a garroteá-las uma a uma. Somente uma escapou, fugindo para dentro da água com os olhos arregalados do mais puro terror.

– Muito bem, agora que já demos um jeito nesses bichos enganadores, podemos voltar para a aldeia – disse o cacique.

– Não vamos pescar? – disse alguém.

– Não – disse o cacique. – Antes quero ver a cara das índias quando vierem pescar e forem obrigadas a retornar de samburás vazios.

No dia seguinte, as mulheres retornaram, de fato, à pescaria e, ao chamarem as suas cúmplices, viram somente a lontra sobrevivente emergir das águas. A coitada só a muito custo conseguiu revelar todas as atrocidades praticadas pelos homens no dia anterior.

– Miseráveis! Eles irão pagar bem caro por isso! – bradou a índia velha.

Ora, acontece que essa índia também era entendida em puçangas, e no mesmo instante determinou que suas amigas recolhessem das matas uma fruta chamada pequi. Essa frutinha, produto das matas brasileiras, possui numerosos espinhos que rodeiam o caroço, por debaixo da polpa.

– Preparem a beberagem! – disse a índia, e as outras passaram o resto do dia preparando a poção venenosa.

Quando o dia acabou, elas retornaram à aldeia.

– Ah! Ah! Ah! Onde estão os peixes, hoje? – gritavam os homens, rindo muito.

– O rio não estava para peixe, então preferimos gastar o tempo fazendo esta bebida revigorante – disse a índia velha, mostrando a beberagem que elas traziam em grandes cumbucas.

– Passem isso para cá! – disseram eles repentinamente, arrebatando-lhes a bebida. – Estamos loucos de sede de tanto rir!

Os homens ingeriram a bebida e não demorou muito para começarem a tossir, desesperados. Enquanto se engasgavam, grunhiam feito porcos, tentando se livrar dos espinhos encravados na garganta.

E foi assim que os homens da aldeia acabaram se transformando em porcos.

A CURA DA VELHICE

Os índios kadiuéus contam que havia, certa feita, um padre que tomara a resolução de curar os velhos de todas as suas doenças.

– Cure-os da velhice, e os terá curado das doenças – corrigiu-lhe um dia um pajé mais astuto.

Esse padre, porém, não tinha tanto poder assim e decidiu ir procurar quem o tivesse. Era sabido entre os kadiuéus que um certo Gô-Noêno-Hôdi tinha o poder de pôr fim aos tormentos da velhice.

– Vou procurá-lo! – disse imediatamente o santo homem, esquecido até do seu deus.

– Ninguém sabe direito onde ele vive – respondeu o pajé.

– Pois irei descobri-lo! – insistiu o padre, determinado.

O padre entrou pela mata e foi em busca do local onde diziam viver esse ser poderoso. Enquanto andava, ia conversando com as árvores, pois recebera dos céus este dom. Ao avistar uma árvore seca e velha, parou para dirigir-lhe algumas palavras:

– Como vai, minha amiga?

– Mal, muito mal! – gemeu a árvore. – Só aguardo, agora, o incêndio que há de vir na floresta para ver meus dias se acabarem!

– Isso não há de ser assim, pois vou em busca de Gô-Noêno-Hôdi. Pode me dizer como faço para encontrá-lo?

Então, a árvore fez o bom homem entrar em contato com um espírito das matas, que o guiou até o esconderijo do xamã da floresta. Não havia nada ali de fabuloso, e tudo parecia como nas outras aldeias. A mulher que se aproximou do padre era do mesmo feitio das outras.

– O que deseja? – disse ela. – Você não é daqui.

O padre explicou que procurava o taumaturgo das matas, e ela apontou-lhe uma choça.

Imediatamente, o padre foi até lá e deu de cara com um velho.

– O senhor é Gô-Noêno-Hôdi?

– Não – respondeu o velho. – Siga adiante até chegar àquela casa.

O padre foi e perguntou:

– O senhor é Gô-Noêno-Hôdi?

– Não, sou apenas o cabelo dele.

"Há alguma brincadeira aqui!", pensou o padre, já irritado.

O padre passou por quatro ou cinco casas mais, escutando sempre respostas parecidas.

"Pelo jeito esse sujeito foi deixando um pedaço de si em cada casa", pensou ele, já convicto de que, quando encontrasse afinal Gô-Noêno-Hôdi, *nada encontraria*.

Então a voz do espírito lhe disse que a próxima casa era a tal.

– Mas cuidado! – alertou a vozinha. – Não fume nada que ele lhe oferecer!

O padre entrou e avistou-se, finalmente, com o ser misterioso, e a primeira coisa que ele fez foi lhe oferecer o tal cachimbo. O padre fez que não viu e começou a falar.

– Grande sábio, venho em busca de conhecimento.

Gô-Noêno-Hôdi não respondeu, mas lhe ofereceu um cigarro de palha.

A vozinha que estava abrigada na cova da orelha do padre lhe disse que também não aceitasse, e o padre também fez que não ouviu esse novo oferecimento.

Diante disso, o mago silvestre rendeu-se.

– Parabéns, você escapou duas vezes de virar uma fera – disse ele. – O cachimbo tinha excremento de onça, e o cigarro também.

Então, o sábio perguntou ao padre o que ele queria.

– Quero um remédio para rejuvenescer os velhos e também as árvores.

O sábio olhou para dentro da sua choça e gritou:

– Minha filha, traga os pentes.

Então a vozinha interior gritou ao padre que não a olhasse, pois doutro modo a engravidaria. A moça entrou com os tais pentes, mas o padre desviou os olhos para o pó do chão.

– Penteie os cabelos do morto com um destes pentes, e ele voltará a viver. Mas faça isso no mesmo dia da sua morte.

O padre ia responder que não pedira um remédio para ressuscitar, mas para rejuvenescer, mas achou melhor se calar. Decerto que, ao ressuscitar, o morto voltaria a ser jovem.

– E quanto às árvores? – disse o padre.

– Minha filha, traga a resina – disse o taumaturgo.

A filha trouxe, e o padre colou os olhos, de novo, no chão. Quando os ergueu, porém, viu que a choça se transformara numa casa bonita, no centro da qual havia uma mesa enorme.

– Passe nela a resina – disse o mago.

O padre lambuzou a mesa, e da madeira começou a brotar uma vegetação espessa. Dali a pouco, a mesa se converteu numa árvore que cresceu desmesuradamente até furar o teto da casa. Agora havia uma árvore encravada bem no meio do salão.

Então o padre achou que já era hora de partir. Tomando os pentes e a resina, ele ganhou a picada que levava para fora da mata, e já ia bem adiante quando escutou às suas costas a voz da filha do bruxo.

– Espere, espere! O senhor esqueceu o fumo!

Pressentindo uma cilada, o padre apertou o passo, sem voltar-se para trás. A jovem, no entanto, foi mais rápida do que ele e conseguiu ir postar-se à sua frente.

– Tome o seu fumo! – disse ela.

O padre desceu os olhos, outra vez, para o chão, só que desta vez enxergou, por inadvertência, o dedo do pé da jovem, e foi o que bastou para ela engravidar.

O padre foi informado de que estava proibido, desde aquele instante, de deixar os limites da aldeia, mas mesmo assim insistiu em partir.

– Deixem-me ir! Tenho de curar os velhos e as árvores da velhice!

Diz a lenda que ele partiu, mas que, logo em seguida, morreu, tendo de retornar à aldeia misteriosa para criar o seu filho. E lá continua até hoje, prisioneiro perpétuo de um sonho vão.

COMO SURGIRAM OS BICHOS

Houve um tempo, segundo os índios ofayés, em que o Sol vivia de pendenga com os homens. O principal motivo era a falta de caça. Não havia bicho em parte alguma, e os homens reclamavam o tempo todo com o Sol para que este lhes arrumasse o que comer.

O conflito evoluiu até que, certa feita, enfurecidos, os índios arremessaram todas as suas flechas contra o Sol, mas nada conseguiram, pois ele era indestrutível. Noutra ocasião, tentaram queimá-lo vivo num incêndio na mata, mas o Sol só conseguiu achar graça naquilo, pois ele já vivia nas chamas.

A coisa foi assim até que, certo dia, farto daquilo, o Sol resolveu punir os homens.

– Eles querem caça? Pois então a terão!

No dia seguinte, ele convidou os homens para irem consigo à floresta.

– Que haveremos de fazer lá? – disseram os índios. – Lá não tem nada para caçarmos!

– Mas tem árvores carregadas de frutos muito saborosos que eu fiz nascer durante a noite – respondeu o Sol.

Os índios, que andavam com muita fome, decidiram ir ver, afinal.

– Aqui está – disse o Sol, apontando-lhes uma árvore enorme. – Essa árvore é uma jabuticabeira, e dela podeis desfrutar dos frutos mais saborosos.

Os índios treparam nos galhos e começaram a chupar as jabuticabas. Em poucos minutos não havia mais nenhuma frutinha em toda a árvore.

– Onde tem mais? – perguntaram os índios, agoniados.

O Sol lhes apontou uma segunda jabuticabeira. Os índios pularam dos galhos e correram até a outra árvore, começando a escalar os seus galhos.

De novo o ruído dos índios chupando as jabuticabas encheu a floresta. Só que desta vez o Sol, postado embaixo da árvore, agarrou o tronco e começou abruptamente a chacoalhá-lo.

Os índios, assustados – pois haviam subido muito alto, até o topo da árvore, para alcançarem as últimas frutinhas –, agarraram-se desesperadamente aos galhos e começaram a gritar.

– Pare! Quer nos matar?

Nesse momento, o Sol lançou um feitiço sobre eles, e cada qual começou a se transformar em um animal antes de despencarem. O primeiro animal a cair foi uma anta. Depois veio uma cutia, e um veado, e uma paca, e uma onça, e, assim, uma série de outros animais.

Apesar de tudo, porém, muitos índios ainda conseguiram se manter presos aos galhos, e estes acabaram sendo transformados em macacos.

Os macacos arreganharam os dentes para o Sol, lançando sobre ele mil maldições.

– Do que reclamam? – disse o Sol, partindo para o céu. – Não queriam caça? Agora já há caça abundante por toda a floresta!

Então um dos macacos, enfurecido, desceu até a terra e começou a puxar do chão as outras árvores, que eram todas baixinhas, e logo a floresta encheu-se de árvores tão grandes quanto a jabuticabeira. Os macacos puseram-se a entrelaçar as copas das árvores, cerrando o teto da floresta com um manto verde.

E foi desde essa época que o Sol viu-se impedido de entrar na floresta.

A ESCADA DE FLECHAS

Os índios kaingangs, do extremo sul do Brasil, contam uma lenda interessante acerca de uma escalada aos céus praticada por eles em dias muito antigos.

Naquele tempo, as onças comiam muito mais gente do que hoje, e os índios não aguentavam mais viver nessa apreensão. Não se passava um dia sem que algum deles fosse comido vivo por elas ou simplesmente raptado sem deixar vestígios. Velhos e crianças eram as presas mais comuns, mas a verdade é que índio nenhum podia se vangloriar de estar a salvo desses predadores vorazes. Os índios colocavam vigias nas tabas e fortificavam-nas com paliçadas, mas as onças acabavam comendo os vigias.

– Chega! – disse, então, certo dia, o cacique.

Depois de convocar o feiticeiro-mor da aldeia, exigiu que ele apresentasse uma solução.

– Solução boa só há uma: fugir – disse o pajé, sem mais rodeios.

O cacique enterrou os dedos no cocar.

– Fugir? Fugir para onde?

De fato, não havia lugar na terra onde as onças não pudessem alcançar os homens.

– Só se nos metermos debaixo d'água – disse o chefe da aldeia.

– Ou subirmos aos céus – completou o pajé, muito seriamente.

O cacique pensou que o pajé estivesse brincando, mas era verdade. Após tomar uma aljava cheia de flechas, o pajé foi para um descampado e arremessou a primeira flecha em direção ao céu. Todos os demais encolheram-se, com receio de que Tupã devolvesse a flecha com um raio fulminante.

Felizmente, nada disso aconteceu. Mas o mais espantoso é que a flecha ficou encravada no céu.

– Acerte nela – disse o pajé, entregando o arco a outro índio, bom de pontaria.

O índio mirou e acertou bem na extremidade da seta encravada, encompridando-a. E assim foram todos arremessando uma flecha após outra, até terem formado uma escada que descia do céu até a terra.

– Amanhã bem cedo, subiremos todos por esta escada e iremos viver no céu, bem longe das onças – decretou o cacique.

Os índios voltaram à taba, a fim de se prepararem para a escalada do dia seguinte.

Quando o sol raiou, já toda a aldeia estava aos pés da escada de flechas, que havia se transformado numa escada de cipós, cheia de degraus para facilitar a subida.

– Vejam, Tupã nos ajuda! – disse o pajé, e todos se animaram.

Ao colocar, porém, o pé no primeiro degrau da escada, o cacique escutou o rugido inequívoco de uma onça lá no topo do céu.

– Será possível? – exclamou. – Há onças também no céu?

Não, nunca houvera, pelo menos até a noite anterior. Acontece que, enquanto os índios dormiam, um casal de onças aproximara-se sorrateiramente da escada e trepara nela.

A questão agora não era mais buscar refúgio no céu, um lugar também povoado de onças, mas saber quem iria até o alto cortar a escada para que as onças não pudessem mais descer para a terra.

Demorou um pouco até que um casal de valentes se ofereceu. Eles subiram e, ao chegarem ao topo, cortaram rapidamente a escada, que foi embolar-se aos pés dos índios.

O casal, porém, jamais pôde descer, e acredita-se que até hoje viva no céu, junto com o casal de onças.

A VITÓRIA-RÉGIA

Uma das plantas mais típicas da vegetação aquática brasileira foi assim batizada em homenagem a uma rainha inglesa. "Vitória-régia" significa "Rainha Vitória". A moça que deu origem à lenda, porém, era uma índia infinitamente mais bela e simpática do que aquela rainha, e é com ela que começamos este conto.

Araci era uma índia que tinha um único propósito em sua vida: o de tocar a lua. Todas as noites, quando a lua surgia nos céus, especialmente quando estava cheia e resplandecente, Araci subia na árvore mais alta que encontrava e, na ponta dos pés do galho mais elevado, tentava, por todos os meios, tocar a face do grande astro prateado.

Araci teve muita sorte, escapando, mais de uma vez, de despencar para a morte em suas tentativas vãs. Mas nada disso a impressionava, pois teimava, a todo pano, em tocar a lua.

Então, certa noite, ela resolveu subir numa árvore que ficava na beira de um rio. Ao escalar o último galho, Araci viu a lua refletida nas águas e imaginou que ela banhava-se no rio.

– Viva, hoje vou poder tocá-la! – disse ela, preparando-se para mergulhar.

Araci desceu até o fundo, mas não havia lua alguma ali.

Ao voltar à tona, ela viu o reflexo da lua ainda nas águas. Só que ele estava cada vez mais afastado de si.

Araci nadou, mas a lua era mais rápida, e nada de alcançá-la. A jovem nadou, nadou e nadou até estar muito longe das duas margens. Só então descobriu que não tinha mais fôlego nem forças para retornar à terra. Neste instante, ela soube que seu destino seria o de perecer nas águas. Sabendo inúteis todos os esforços, a bela índia recolheu os braços e deixou-se afundar.

E assim pereceu a bela Araci, sem alcançar a lua.

A lua, porém, que era homem, sentiu remorsos por não ter ajudado a jovem.

– Já que não posso trazê-la de volta, irei ao menos homenageá-la – disse o astro.

No mesmo instante, brotou das águas uma planta esverdeada, que passou a boiar em cima da água. Ela parecia uma enorme bandeja e trazia consigo uma planta muito bonita, de coloração branca e rosa.

Desde então, todas as moças da aldeia passaram a enfeitar-se com as pétalas da planta, consideradas infalíveis para atrair namorado.

BAHIRA E O RAPTO DO FOGO

Histórias sobre raptos do fogo são tão antigas quanto o homem. Já vimos anteriormente a versão dos índios tembés para o tema, na lenda "O Furto do Fogo". Agora, é a vez de conhecermos a versão dos parintintins para esse episódio. Tal como na primeira lenda, também aqui o urubu é considerado o dono do fogo. Ele não o concedia a ninguém, e os homens não sabiam o que era utilizar-se das chamas para cozinhar uma comida ou aquecer-se do frio. O sol era a única fonte de calor, e era nele que os homens buscavam remediar a sua privação. Mas mesmo assim eles sentiam a necessidade de terem em seu poder o uso direto das chamas.

Isso foi assim, até que um dia eles resolveram recorrer a Bahira, um semideus civilizador das matas.

– Traga-nos o fogo que o urubu-rei não nos quer conceder.

Penalizado dos homens, Bahira armou um plano. Após deitar-se no meio da floresta, fingiu-se de morto, cobrindo o corpo com sinais falsos de putrefação, a fim de atrair o apetite do Senhor do Fogo.

Quem chegou primeiro foi a mosca varejeira. Após passear por todo o corpo inerte do semideus, ela foi levar a notícia ao urubu-rei.

Sem hesitar, o urubu envergou seu casaco negro de penas e mergulhou na direção da terra. Ao ver o corpo de Bahira, pousou e começou a preparar o fogo para assá-lo. Bahira, com um olho entreaberto, viu quando o urubu depositou a preciosa chama sobre os gravetos e, num pulo, apoderou-se dela.

– Ladrão! – gritou a ave, agitando as asas.

Bahira disparou na corrida enquanto o urubu dava aos céus o seu grito de alerta:

– Aqui, todos!

Uma nuvem de urubus desceu dos céus, e todos se puseram no encalço do semideus. Bahira enfiou-se num tronco oco e saiu pelo outro lado. Os urubus fizeram o mesmo. Depois, meteu-se numa brenha de taquaras, e ali os urubus não conseguiram penetrar.

– Ufa, acho que consegui! – suspirou baixinho o semideus.

Então, depois que os urubus já tinham se dispersado, resignados com a derrota, ele abandonou o seu esconderijo e foi até a beira do rio. Ao ver uma cobra d'água passar, apanhou-a e, depois de colocar o tição de fogo nas suas costas, disse:

– Vá, minha amiga. Atravesse o rio e leve o fogo até os índios.

A cobra começou a nadar, mas o fogo em suas costas ardia tanto que ela acabou sucumbindo no meio da jornada. A correnteza trouxe o seu corpo enegrecido de volta à margem onde estava o semideus.

O camarão passava por ali, e Bahira o apanhou.

– Você é o mensageiro certo para conduzir o fogo! – disse ele, encravando a chama nas costas do crustáceo, que pôs-se a nadar rio adentro.

Quase no fim do trajeto, porém, ele também sucumbiu à terrível ardência.

– Maldição! – exclamou o semideus, ao receber de volta o cadáver vermelho do camarão.

Então, ao erguer em desespero os olhos para o céu, avistou a saracura.

– É isto, o fogo irá pelos céus!

A ave recebeu o fogo nas costas e levantou voo, mas, antes de chegar à outra margem, faltou-lhe o fôlego e ela caiu dentro d'água, queimada.

Nesse momento, Bahira avistou o mensageiro ideal: o sapo-cururu. Dizia-se que essa criatura dos brejos tinha o hábito de ingerir brasas, pensando tratar-se de vaga-lumes. Bahira o fez engolir a brasa e jogou-o na água.

Desta vez tudo correu bem, e o sapo regurgitou a brasa assim que pulou para a terra, entregando-a aos índios parintintins. Em recompensa, foi premiado com a suprema honra de tornar-se pajé da aldeia.

A MÁSCARA DA SUCURI

Nos dias antigos, os índios parintintins caçavam todo e qualquer animal à mão, pois desconheciam o uso da flecha ou de qualquer outra arma. Assim, quando saíam para caçar, na maioria das vezes se viam transformados eles próprios na caça.

Então, certo dia, Bahira, o semideus dessa tribo, decidiu dar mais uma ajuda aos seus protegidos. Cortou uma casca grande de árvore e começou a modelá-la com as mãos até torná-la uma máscara com as feições idênticas à de uma sucuri. Ao julgá-la pronta, colocou o artefato na cara e viu que todos os macacos trepados nas árvores fugiram, com os dentes arreganhados de puro terror.

Bahira mergulhou então nas águas e desceu a correnteza até alcançar uma tribo vizinha rival. Os habitantes daquela aldeia eram exímios fabricantes de flechas e recusavam-se a ensinar sua arte aos índios rivais. Mas Bahira estava decidido a arrancar-lhes, se não o segredo da confecção das flechas, pelo menos algumas delas para que os seus protegidos pudessem dispor dessas armas também.

Bahira deslizou mais um pouco, sob a corrente, até passar bem ao lado da aldeia. Então, suspendendo a cabeça mascarada, começou a sibilar como uma verdadeira sucuri.

Os índios, ao verem aquela cobra monstruosa, correram até os seus arcos e começaram a alvejá-la com uma verdadeira saraivada de flechas.

O semideus deixou que as flechas se encravassem todas na sua máscara, de tal sorte que, quando ele retornou para a sua aldeia, mais parecia a máscara de um porco-espinho do que a de uma cobra.

Os parintintins pegaram as flechas e comemoraram o feito com uma grande pajelança. No meio da festa, porém, um índio decidiu que poderia repetir a proeza com muito mais sucesso.

"Vou fazer uma máscara para o corpo inteiro e voltar coberto de flechas!", pensou ele, antegozando o sabor do triunfo.

No mesmo instante ele abandonou a festa e foi para a mata fabricar a sua máscara, e já na manhã seguinte, bem cedinho, mergulhava nas águas do rio para perpetrar seu feito ainda maior.

Quando chegou à aldeia rival, o índio pôs-se a silvar e espadanar água para todos os lados.

– Vejam, outra sucuri maldita! – gritou o cacique da tribo.

Então, tomando de uma flecha pontuda – a mais pontuda e mortífera das que havia na aldeia –, ele arremessou-a bem na cabeça do índio fantasiado de cobra. A seta atravessou a sua cabeça e ele caiu morto dentro d'água, sem a necessidade de mais nenhuma outra flecha.

Seu corpo foi retirado imediatamente do rio e assado na grelha.

Nesse meio-tempo, chegara à aldeia Bahira, pois já descobrira tudo o que o índio tramara.

– Grande cacique, venho buscar um homem imprudente da minha tribo – disse o semideus.

O cacique apontou para a grelha, onde chiavam os pedaços esquartejados do pobre índio.

– Pode escolher o pedaço que mais lhe agradar – disse o morubixaba.

Bahira foi até a grelha e encontrou apenas alguns pedaços que haviam restado do festim. Não era muita coisa, mas Bahira, decidido a levar a coisa até o fim, começou a assoprá-los, a fim de que tornassem à vida. Deu mais ou menos certo: só parte do corpo do índio surgiu. Infelizmente, o restante do corpo já havia sido devorado pelos indígenas.

No fim das contas, Bahira meteu tudo num cesto e, durante o caminho de retorno, foi lançando os restos do índio pela mata. Ao caírem no solo, eles foram se transformando em animais, tais como a cotia e o quati.

COMO SURGIU O DIA

Os índios do Xingu têm uma lenda muito divertida e original para explicar a origem do dia. A originalidade começa pelo fato de o sol nada ter a ver com a luminosidade ou com o dia, tal como acontece na Bíblia. Tanto o Sol quanto a Lua estavam imersos na mesma treva dos homens, sendo os vaga-lumes a única fonte de luz naqueles dias, ou antes, *naquelas noites*.

Mas a verdade é que a luz dos vaga-lumes era muito pouca e rarefeita, e ninguém aguentava mais viver nas trevas. Então, certa noite, dois gêmeos chamados Inaê e Porã resolveram colocar um ponto final nesse problema.

– Você sabe perfeitamente que o urubu-rei é o dono da luz – disse Inaê ao Sol. – Até quando vai permanecer inerte, sem fazer um acordo com ele?

O Sol, imerso na treva, coçou a cabeça e disse:

– As coisas não são tão fáceis assim. Ter a propriedade exclusiva da luz faz do urubu-rei um ser muito poderoso. Ninguém abre mão de um poder por simples liberalidade.

– Ora, o urubu não ficará sem luz, apenas a dividirá conosco! – exclamou Inaê.

– E perderá, assim, o trunfo supremo da exclusividade da luz – completou o Sol.

– Ora, mas a luz é para todos!

– Muito bem, se o urubu-rei não quiser dividir por bem a luz conosco, iremos tomá-la por outro meio! – exclamou o Sol, determinado.

Os gêmeos expuseram então um plano e, na mesma noite, trataram de confeccionar uma anta de madeira, colocando dentro dela um monte de esterco. Não demorou muito, e os escaravelhos começaram a entrar e a sair da anta pelas frestas, carregando suas bolas fedorentas.

– Muito bem, já temos o bastante! – disse o Sol, mandando embrulhar os escaravelhos.

O Sol convocou, então, as moscas para que levassem o embrulho para o urubu-rei.

– O que querem? – disse o urubu a uma das moscas.

Como não entendia o que as moscas diziam, o Sol mandou buscar o japim.

O japim é um pássaro versado no canto de todas as aves, do qual, mais adiante, leremos uma lenda. Infelizmente, neste caso, como se tratavam de moscas, o pássaro tradutor nada pôde fazer.

– Melhor chamar meu primo – disse o japim.

O urubu-rei fez cara feia e mandou chamar o tal primo, um certo joão-conguinho que, apesar de ser menor do que o japim, dizia entender o idioma dos insetos.

A avezinha veio e, na hora, decifrou o zumbido da mosca.

– Elas trazem um presente da Terra das Trevas para o Senhor da Luz.

– Muito bem, diga então que o presente está aceito, e que voem todos de volta para as trevas! – disse o urubu-rei, apoderando-se avidamente do embrulho, pois um odor de podridão havia atiçado aquela máscara que recobre o orifício nasal do urubu e da maioria das aves.

– Escaravelhos com bolinhos de esterco! – exclamou ele, devorando, em questão de segundos, todo o embrulho.

Aquilo fora tão bom que o soberano decidiu convocar uma reunião de emergência do seu Conselho.

– Lá na Terra das Trevas deve ter, por certo, muito mais desses quitutes saborosíssimos! – disse o urubu-rei aos conselheiros, um bando de urubus que só sabiam balançar a cabeça de cima para baixo toda vez que o rei falava.

Na mesma hora o urubu organizou uma comitiva para ir até a Terra das Trevas. Junto com ele iriam aves de todos os tipos, e não só urubus.

Enquanto isso, na aldeia trevosa, o Sol e a Lua já estavam dentro da anta de madeira.

– Tudo pela abençoada luz! – dizia o Sol, até que o urubu-rei chegou, afinal, com a sua comitiva.

– Queremos mais quitutes daqueles! – ordenou ele, como um conquistador.

Imediatamente as moscas lhe apontaram a anta gigante, toda coberta de escaravelhos e suas bolinhas de esterco. Todas as aves se arremessaram, num voo alucinado, na direção do boneco.

Neste instante, o Sol aproveitou para espiar no buraco destinado aos olhos, para ver se o urubu também vinha. Mas o gavião, que ficara no ar, fiscalizando tudo, percebeu o perigo e deu o alerta:

– Cuidado, majestade! O boneco mexeu os olhos!

Mas a gula era tanta que nem mesmo o urubu-rei teve ouvidos para escutar a advertência. Logo, todas as aves estavam sobre a anta de mentira, abocanhando todos os escaravelhos que enxergavam.

Então, quando a comilança estava no auge, o Sol espichou o braço para fora e agarrou a perna do urubu-rei. Um grasnido aterrador escapou da sua garganta, fazendo as outras aves levantarem voo e desaparecerem nos céus. Só o urubu-rei permaneceu prisioneiro na desolada Terra das Trevas, junto com o jacubim, uma avezinha valente que não costumava fugir da luta quando as coisas iam mal.

– Solte-me! – gritava o urubu-rei.

– Dê-nos o dia e poderá voltar para o seu reino!

O urubu-rei renitiu o quanto pôde, mas teve, afinal, de ceder.

– Vá buscar a arara vermelha! – disse o urubu-rei ao jacubim.

A arara vermelha era a portadora da luz e, depois de algumas horas, retornou junto com o jacubim. Assim que a ave de penas escarlates pousou num galho alto, o dia começou a raiar pela primeira vez para os índios da Terra das Trevas.

Um coro de espanto subiu aos céus, e o Sol foi colocar-se no seu lugar.

– Quando o dia terminar, será a sua vez de ir ocupar o lugar do Sol – disse o urubu à Lua.

Os índios do Xingu ficaram tão agradecidos ao urubu-rei que, desde esse dia, passaram a depositar oferendas regulares de carne apodrecida nos lugares altos da aldeia ao generoso doador da luz.

POR QUE A TERRA TREME

Os índios kaiapós contam uma lenda que explica a razão dos tremores de terra.

Havia, certa feita, uma índia que era muito má com seus filhos. Então o pajé, decidido a pôr um fim à sua malvadeza, transformou a ela e aos filhos em porcos. (Naquele tempo a justiça era meio primitiva, e muitas vezes punia-se, ao mesmo tempo, malfeitor e vítima.)

Esta raça de porcos era diferente das outras existentes, e justamente por terem tido uma origem mágica os índios decidiram preservá-los, colocando-os dentro de uma caverna.

A caverna foi lacrada com pedras e ninguém mais buliu com os porcos, até que um dia aquele mesmo pajé decidiu descobrir que gosto teria a sua carne.

– Já estou farto desses caititus! – disse ele, aproximando-se da caverna com uma faca.

Caititus era a única espécie de porco existente na aldeia antes de surgirem os outros.

O pajé matou dois porcos, levou-os escondidos para a aldeia e comeu-os inteirinhos.

Os outros índios, porém, desconfiando do odor diferente do assado, foram falar com o filho do pajé.

– Esses porcos que o seu pai comeu sozinho, de onde vieram?

O filho desconversou:

– De longe.

– Mostre-nos onde.

– Não posso, estou com o pé machucado.

Então um índio colocou o menino nas costas e ordenou:

– Agora leve-nos até lá!

Um grupo de guerreiros seguiu-os até chegarem à entrada da caverna. Começaram a desobstruir a passagem, deslocando as pedras.

– Queremos provar também a carne desses bichos!

Quando terminaram de abrir, porém, os porcos arreganharam os dentes.

– Corram! Fujam! – gritaram os guerreiros, atirando as lanças para o alto.

Todo mundo correu para a parte mais elevada da serra, mas o menino, que estava com o pé machucado, não teve a mesma sorte e acabou apanhado e devorado pelos porcos.

Só sobraram seus ossos. O pajé, ao saber da desgraça, correu até lá e conseguiu ressuscitar o menino, assoprando sobre os ossos.

– Esses porcos vão ver só! – disse ele, recolhendo-os e colocando-os outra vez na caverna.

Só que, desta vez, ele escavou um subterrâneo profundo, obrigando os porcos a descerem até as profundezas. Uma vez lá embaixo, ele começou a surrar a bicharada com tanta gana que provocou um tremor de terra em toda a aldeia, devastando tudo.

Desde então, sempre que um novo tremor de terra acontece na aldeia, todos já sabem que são os porcos do pajé fazendo suas correrias loucas por debaixo da terra.

A PRIMEIRA COBRA

Nesta lenda, conta-se a origem de uma autêntica cobra indígena, da mesma estirpe da Cobra-Grande, ser bruto e irracional que só pensava em comer e devastar.

Eis como, segundo os índios kaiapós, a cobra veio ao mundo.

A história começou quando um casal de índios, farto de viver na aldeia, resolveu emigrar para outras terras. Depois de muito andarem, acharam um lugar ideal e ali se estabeleceram.

Certa tarde, o índio foi banhar-se num igarapé, que é um pequeno rio. Acontece que riozinho era encantado, e ele logo se viu transformado na primeira cobra do mundo.

Ao retornar para casa, o homem-cobra deu um susto na mulher, que nunca tinha visto nada parecido na vida.

– Socorro! Acuda, meu marido! – berrava ela, histérica.

– Sossega, sou eu! – sibilou a cobra.

A mulher custou a aceitar o fato de que teria de viver para sempre ao lado daquele ser horroroso que matava e comia os animais da mata.

O tempo passou, e os índios da antiga aldeia mandaram um mensageiro saber o que fora feito do casal. O índio chegou e encontrou só a mulher.

– Como estão as coisas? – disse ele.

A mulher procurou sorrir e disse que ia tudo bem.

Mas o mensageiro, sentindo que ela escondia algo, insistiu:

– Onde está o seu marido?

– O pobre morreu! – disse a índia.

– Vamos, fale a verdade! – disse o mensageiro.

Então ela confessou, de uma vez, que o marido virara uma cobra. Desta vez, a pobrezinha chorava de verdade.

– Pois quero ver se é verdade! – disse o mensageiro, acomodando-se na rede.

Dali a pouco, escutou-se o ruído de algo que se arrasta. Era a cobra de volta das suas matanças. A criatura havia aumentado dez vezes de tamanho desde o seu surgimento.

O índio ficou tão apavorado que fugiu de volta para a aldeia.

Dali a alguns dias, apareceu outro índio.

– Quero ver como é a cobra – disse ele à esposa do ofídio.

E foi esconder-se num jirau, dentro da casa. Assim que a cobra entrou, espichou a língua fendida e captou o odor da presença humana.

– Estou sentindo cheiro de gente! – sibilou a cobra.

A cobra, mesmo tendo recém comido um boi inteiro, pediu à mulher que lhe trouxesse mais comida. Ela trouxe, e a cobra comeu até empanzinar-se. Depois, pôs-se a cantarolar um canto meio hipnótico que obrigou o índio escondido a acompanhá-lo.

– Eu sabia que tinha mais alguém aqui dentro! – exclamou a cobra, furiosa.

O índio, aterrado, surgiu com as duas mãos espalmadas.

– Calma, amigo, sou da aldeia e vim apenas para ver como estão.

Mas a cobra não estava para falas mansas e abocanhou o índio inteiro.

O tempo passou, e os índios mandaram um grupo de guerreiros para exterminar a cobra. Pé ante pé, eles adentraram a casa da índia e, quando a cobra dormia a sono solto, caíram de rijo em cima dela com lanças e tacapes, matando-a.

A índia chorou e lamentou, mas o crime já estava feito. Ela foi levada de volta para a aldeia, aos prantos, mas o que eles não sabiam é que ela estava grávida de uma ninhada de cobrinhas, que deu à luz assim que chegou à aldeia. Quando os índios descobriram, muniram-se de cacetes para abater os filhotes, mas a índia espantou-os todos para a mata.

– Vão, escondam-se na mata!

Desde então, as cobras andam à solta por aí.

COMO OS KAIAPÓS DESCERAM DO CÉU

Os kaiapós têm uma explicação para o surgimento da sua raça.

Segundo eles, o mundo sempre esteve dividido em três partes: o céu, a Terra e o subterrâneo. Só que, nos dias antigos, os seres vivos só viviam no céu e não desconfiavam da existência de mais nada.

Então, um dia, um caçador celeste, correndo atrás de um tatu, viu abrir-se subitamente o chão do céu. A caça despencou no abismo, em direção à Terra, deixando-o boquiaberto.

– O que haverá lá para baixo? – disse ele.

Então, pendurou-se na extremidade de uma raiz e viu tudo o que havia aqui embaixo. O caçador ficou tão eufórico com o que viu que correu para a sua aldeia para transmitir a novidade.

– Há um mundo maravilhoso lá embaixo! Há florestas, rios e campos para plantação e criação!

A vida devia ser muito chata lá pelo céu, já que seus habitantes não pensaram duas vezes antes de decidirem mudar-se para a Terra.

– Mas como faremos para alcançar aquela profundeza? – disse alguém.

Depois de pensar um pouco, o caçador achou a solução.

– Vamos fabricar uma corda bem grossa e resistente!

Para fabricar a corda, porém, era preciso antes plantar algodão. As mulheres lançaram-se à plantação e, dali a algum tempo, fez-se a colheita. Os fios foram trançados, e a corda imensa e resistente foi levada até o balcão suspenso do céu.

– Joguem-na! – disse o caçador.

A ponta da corda foi atirada no abismo e veio se desenrolando até alcançar o chão da Terra. Imediatamente os índios mais audaciosos começaram a descer, um por um, como formigas num barbante.

Entretanto, a operação não aconteceu sem incidentes e infortúnios. Muitos dos antigos habitantes do céu, por exemplo, só chegaram mortos à Terra, pois durante a descida, por descuido ou cansaço, acabaram despencando do alto. Quando essas notícias chegaram lá em cima, muitos dos que ainda faltavam descer sentiram-se tomados pelo medo e não quiseram mais fazê-lo.

– Está bem, covardes, fiquem aí! – disseram os outros, e cortaram com uma faca a corda.

Desde então, cessou a descida dos índios do céu, e os valentes que conseguiram chegar à Terra passaram a ser chamados de kaiapós.

O SURGIMENTO DA PLANTAÇÃO

Esta lenda também é protagonizada por uma criatura celeste que salvou uma aldeia de morrer de fome.

Nos tempos antigos, segundo os kaiapós, a vida na terra era muito difícil. As pessoas não tinham o que comer, senão lagartas, raízes, orelhas-de-pau e coisas deste tipo. Frutos não existiam, nem ninguém sabia plantar. Quanto à caça, era impraticável, pois os homens não sabiam empunhar nem uma vara de marmelo.

Certo dia, um índio que andava pela mata de barriga vazia foi surpreendido por uma chuvarada daquelas. O pé d'água durou pouco, mas bastou para encharcar tudo. O índio, agachando-se, começou a beber das poças para encher, pelo menos com água, a barriga, quando escutou alguém chamá-lo do alto.

– Psiu! – dizia uma voz maviosa.

Ele olhou para o alto e viu uma índia lindíssima sentada no galho de uma árvore. Ela estava nua e parecia esconder algo entre as pernas.

A fome do índio era tanta que ele não pensou noutra coisa senão em comida.

– Por favor, moça, me dê essa fruta que está escondendo aí!

A índia não demorou a entender o equívoco e começou a rir.

O índio estranhou as formas roliças da jovem, pois na aldeia todas as índias estavam muito magras.

– Quem é você? – disse ele. – Nunca a vi por aqui.

– Desci do céu, junto com a chuva – disse ela, torcendo os cabelos reluzentes.

– Por quê?

– Me cansei de viver lá. Meus pais não tem paciência comigo nem eu com eles.

Tomado por uma paixão instantânea, o índio decidiu casar-se com ela.

– Venha comigo para a aldeia – disse ele.

Então, eles esperaram a noite cair e ele levou-a, às escondidas, para a sua casa.

– Só apareça quando eu mandar – disse ele, escondendo-a dentro de uma enorme cabaça.

O índio morava com a mãe, uma velha com cara de espectro. Seu temperamento, contudo, era amável, e quando ela descobriu, certo dia, a jovem dentro da cabaça, não pensou um instante em fazer mal a ela, e disse:

– Que jovem linda! De onde veio?

Então, a índia contou quem era e foi logo chamada por toda a aldeia de Filha do Céu. Ela casou-se com o índio, e ambos ficaram vivendo na casa da velha índia.

Entretanto, apesar do bom tratamento, logo a jovem começou a sentir os efeitos da penúria, emagrecendo a olhos vistos.

– Isto não pode continuar assim. Vou voltar para o céu e trazer de lá algumas sementes.

– Mas como poderá fazer isso?

– Ora, eu dou um jeito! – disse ela, segura de si. – Venha comigo!

O casal atravessou a mata até encontrar uma árvore de galhos resistentes e flexíveis.

– Ótimo, esta é perfeita! – disse ela, começando a escalar o tronco.

O índio ficou observando-a sonhadoramente, a relembrar o seu primeiro encontro.

– O que está esperando? Suba comigo! – ralhou ela, do alto.

Os dois encarapitaram-se no galho mais alto, que começou a vergar até atingir o chão.

– Agora, desça – disse ela, com a mesma segurança de sempre.

– Mas você pode se machucar! – gemeu ele.

– Ah, que bobagem! – disse ela, botando-o pra fora do galho com um empurrão.

Assim que o índio caiu, o galho catapultou a jovem para o alto, numa velocidade espantosa.

– Me aguarde, eu voltarei! – disse ela, misturada já com as nuvens.

O tempo passou até que, no primeiro temporal, o índio começou a correr pra todo lado, esperando a descida da amada. Dali a instantes, enxergou-a pendurada num galho.

– Me ajude, isto está pesado! – disse a índia.

Ela atirou do alto um saco enorme cheio de sementes que quase esmagou o marido e depois desceu, num pulo, com a suavidade que lhe era peculiar.

– O que está fazendo?

O marido estava comendo as sementes com as duas mãos.

– Isto não é para comer, mas para plantar!

Então ela ensinou o kaiapó a fazer uma roça, e depois a semeá-la.

– Você não vai acreditar no que vai surgir daqui! – disse ela, vaidosa.

Não demorou muito e começou a surgir uma plantação enorme de milho.

– Puxa, que lindo! – exclamou ele. – Mas e destas outras, por que nada nasceu?

– Você que pensa! – disse ela, arrancando de debaixo do solo tubérculos enormes de batata, inhame e mandioca. – Mais tarde nascerão as árvores frutíferas, e muitas delícias mais!

Os dois se abraçaram, felizes, e desde então a fome deixou de afligir os kaiapós.

O SURGIMENTO DOS PEIXES

Tudo começou com o aparecimento na aldeia de um certo Birá. Era um índio sedutor, o terror da honra de todos os homens. Ele era uma ameaça constante, com o seu sorriso de permanente desafio aos rivais.

Então, num belo dia, os índios pediram ao pajé para lançar um feitiço sobre o kaiapó sedutor.

A conspiração evoluiu, e o pajé fez o pobre Birá tomar uma poção maldita durante uma pajelança que o transformou em uma anta.

– Não basta, é preciso matar a anta! – disse o chefe da conjura.

Então, depois de matarem o pobre Birá, levaram-no para a aldeia como se fosse uma caça comum.

– Hoje tem moquém de anta com farinha! – anunciou o cacique, pondo o seu cocar mais vistoso.

Todas as mulheres foram obrigadas a se servir dos pedaços da anta.

Então, quando a ceia tribal terminou, o cacique ergueu-se e fez a hedionda revelação:

– Mulheres pérfidas! Vocês acabaram de comer Birá, o sedutor maldito!

Instantaneamente, as pobrezinhas começaram a vomitar e a chorar.

No dia seguinte os homens foram caçar, deixando na companhia das mulheres somente os velhos incapazes. Graças a Tupã não havia mais Birá para aproveitar-se da ausência deles!

As índias, contudo, reuniram-se e decidiram fugir e se jogar no rio. Antes, pintaram seus corpos das maneiras mais diversas, com pintas, riscas e manchas de todas as cores.

Ao chegarem à beira do rio e pularem, transformaram-se em peixes.

– O que estão fazendo? – gritaram os velhos, ao chegarem, depois.

Muitos deles lançaram-se na água, tentando salvá-las, mas acabaram transformados em sapos e arraias.

Quando os índios retornaram e souberam da desgraça, ficaram duplamente desolados. Além de perderem as esposas, sofreram, ainda, a afronta de verem-se trocados pela saudade de um morto.

Sem mais mulheres, os índios ficaram loucos e cometeram sua última tolice, pois, em vez de se atirarem ao rio, juntando-se assim às suas mulheres, foram todos para a mata, onde acabaram se transformando em macacos, cutias e toda espécie de animais silvestres.

O JACARÉ E O MUTUM

Os kanassas, como todas as tribos, possuem várias lendas etiológicas, ou seja, que explicam a razão de ser das coisas. Neste conto, ficaremos sabendo como o jacaré ganhou a sua cauda, e o mutum, uma pequena ave das matas, o seu topete.

Primeiro, o jacaré.

Diz-se que um dia um pajé kanassa chegou à terra do jacaré e encontrou-o ralando mandioca. Fora das lendas, um jacaré ralando mandioca seria coisa muito curiosa de se ver, mas o pajé achou tudo muito natural e foi logo perguntando:

— Me diga, jacaré: onde é que você guarda o ralador depois de usá-lo?

O jacaré lançou um olhar frio ao pajé.

— Eu o guardo nas costas.

— Deixe eu ver como fica – disse o índio.

O jacaré olhou para o índio, quase incrédulo, mas resolveu, afinal, fazer o que o outro pedia, só para se livrar do importuno.

— Não, não fica nada bem – disse o pajé, após observá-lo de todos os ângulos.

O jacaré retirou o ralador das costas, aborrecido, e voltou a ralar mandioca.

— Experimente colocar em cima do rabo – falou o pajé.

Perdendo finalmente a calma, o jacaré exclamou:

— Você está de gozação comigo?

— Ponha em cima do rabo, vamos ver – insistiu o outro.

— Só se prometer que, depois disso, irá embora.

O pajé prometeu que iria, e só então o jacaré pegou o ralador e colocou-o em cima do rabo, um rabo lisinho como a cauda das lagartixas.

— Ótimo, ótimo! – disse o pajé, subitamente entusiasmado. – Ficou perfeito!

Então, antes que o jacaré pudesse fazer algo, o pajé lançou um feitiço sobre ele.

Desde então, o jacaré ficou com o rabo áspero e cheio de fraturas, como um ralador de mandioca.

* * *

Agora, a lenda do mutum.

O mesmo pajé andou mais um pouco pela mata até encontrar o mutum. Este ser também estava todo atarefado, preparando um pequeno enfeite de penas.

O pajé achou que interromper o trabalho do outro era uma boa maneira de demonstrar a sua simpatia e a sua cordialidade, e perguntou ao mutum:

– O que está fazendo aí?

– Um enfeite de penas para afastar índios chatos – disse o mutum.

O pajé, imperturbável, sentou-se e esperou o mutum terminar a sua obra.

– Vamos ver que tal vai ficar.

O mutum olhou para o pajé com impaciência.

– Vai pôr na cabeça? – disse o pajé.

– Sim – disse ele.

– Então ponha, o que está esperando?

De repente, o mutum temeu estar diante de um louco e resolveu fazer o que o índio dizia. Depois de colocar o enorme penacho no alto da cabeça, ficou parado, com cara de bobo.

– Parece bom – disse o pajé.

Acalmado por esse pequeno afago na vaidade, o mutum começou a voar de lá para cá.

– Mais rápido!

O mutum voou em todos os sentidos, até de ponta-cabeça. Nesse ponto, o topete se desprendeu e caiu miseravelmente.

– Aí está! – disse o índio, dando uma palmada na coxa. – Ponha de novo!

O mutum recolocou o penacho, e o pajé aproveitou para lançar sobre ele um feitiço. No mesmo instante, o penacho enraizou-se no cocuruto da avezinha e dali nunca mais saiu.

O ÍNDIO QUE QUERIA MATAR O SONO

Certa noite, um índio concebeu o desejo extravagante de matar o sono.

– Graças a ele deixo de fazer muitas coisas úteis, perdendo metade das horas da minha preciosa vida – disse ele aos da aldeia, antes de partir para a sua extravagante caçada.

Os índios fizeram de tudo para demovê-lo da sandice, mas ele teimou e partiu para a floresta.

– Dizem que o sono vem de lá. Pois é lá que o matarei.

O índio meteu-se no coração da floresta amazônica e, agachado e com um tacape enorme na mão, passou a esperar a chegada do inimigo.

Quando a noite caiu ele arregalou ainda mais os olhos. Era preciso estar alerta. A barulheira dos sapos, dos insetos e dos animais caçando e sendo caçados era infernal. Ainda assim, o índio sentia, cada vez mais, que a sua presa se aproximava.

Então, quando o sono finalmente chegou, o índio desabou no solo. Quando acordou, viu, desolado, que a sua presa tinha fugido.

– Maldição! Estava quase nas minhas mãos!

Então preparou-se para, na noite seguinte, ter a sua desforra.

– Desta vez ele não me escapa!

O índio fez um chá bem forte para manter-se desperto, mas a sua presa, adivinhando a artimanha, só foi aparecer quando o dia estava quase nascendo.

Quando o sono chegou o índio desabou outra vez, com o tacape nas mãos.

Dizem que o índio teimoso está até hoje metido nos cafundós da floresta tentando matar o sono.

A VIDA HUMANA

Certa feita, segundo os índios bororo, a pedra e a taquara deram início a um debate para saber qual das duas se assemelhava mais à vida humana.

– Sem dúvida alguma, a vida humana se parece mais comigo – disse a pedra, categoricamente –, pois a vida humana é tão resistente sobre a Terra quanto as pedras.

Neste ponto, a taquara contestou:

– De forma alguma, amiga pedra. A vida humana se parece comigo, e não com você. Os homens morrem como as taquaras, ao invés de durarem perpetuamente como as pedras.

A pedra alterou-se ligeiramente.

– Ora, tolices! A vida humana se parece comigo! Não vê, então, como ela resiste ao frio e ao calor, não se dobrando nem ao vento, nem às intempéries?

– Não, não, enganas-te – disse a taquara. – O homem, na verdade, tem bem pouco de pedra. Ele morre como nós, as taquaras, morremos, porém renasce nos seus filhos.

Então, mostrando à pedra os seus filhos – a taquara estava dentro de um enorme e ruidoso taquaral –, ela pôs, por assim dizer, uma pedra sobre a questão:

– Veja como somos parecidos com os homens: somos maleáveis, temos a pele frágil e, finalmente, nos reproduzimos sem parar.

Então a pedra, reconhecendo a derrota, ficou muda e nunca mais disse palavra.

O JAPIM PLAGIADOR

O japim, também chamado de xexéu, morava no céu junto com Tupã, o deus do trovão.

Diz-se que, certa época, uma doença terrível se abateu sobre os índios tupis, causando muitas mortes. Então eles clamaram a Tupã para que mandasse alguma ajuda.

— Vá, japim, e cure-os da doença — disse o deus, espantando a avezinha.

O japim, uma bela ave azul e amarela, desceu do céu e foi pousar na aldeia infectada. Imediatamente, ele começou a entoar o seu canto belo e original, que aprendera no céu.

Os índios ficaram abismados com a beleza do canto, embora achassem aquilo muito pouco.

— É belo, sim, mas cantoria não cura nossos males! — reclamou aos céus o pajé.

Aos poucos, porém, o canto da ave foi infundindo poderes curativos sobrenaturais nos doentes, curando-os um por um da moléstia.

Então, quando a doença foi extinta, o japim anunciou que retornaria aos céus.

— Oh, não, permaneça conosco! — clamaram todos, e, mais do que todos, o pajé.

Tupã, do alto da sua bondade, decidiu, afinal, deixar o japim entre os índios.

Houve festa em toda a aldeia, e a avezinha milagrosa foi celebrada durante uma semana inteira, como se fosse o próprio Tupã. Não demorou muito e o japim, vaidoso, começou a se considerar uma ave sagrada.

A partir daí, passou a desprezar a companhia das outras aves, e até mesmo a ridicularizá-las, debochando de qualquer canto de ave que não fosse o seu.

Quando as outras aves se encheram, afinal, dessa história, foram queixar-se a Tupã.

— Ninguém aguenta mais a soberba do japim! Graças a ela, seu canto perdeu todas as propriedades curativas. Já não há mais razão alguma para alguém desejar a sua presença na terra.

Então, Tupã, dando razão às aves, decidiu punir o japim.

— Pois a partir de agora ele perderá o seu canto, só podendo imitar o canto dos outros!

Mas as aves acharam pouco, pois queriam bem longe o japim e seus deboches. Então, destruíram seu ninho e quiseram corrê-lo da aldeia, obrigando-o a pedir proteção aos marimbondos.

– Por favor, deixem-me construir meu ninho perto da sua casa! – disse a avezinha.

Os marimbondos aceitaram, desde que o japim não arremedasse o zumbido deles.

Desde então, o japim vive protegido do ataque das outras aves, embora jamais tenha readquirido o dom de cantar o seu próprio canto.

PARTE II
CONTOS TRADICIONAIS

A RAPOSA CARENTE

Uma raposa morta que, em vida, tivera uma paixão por ser obsequiada resolveu forçar o favor de um homem bom, indo postar-se no meio da estrada.

– Oh, uma raposa morta! – disse o homem bom, penalizado, ao ver a pobre bichana de olhos vidrados e língua de fora. – Pobrezinha, vou enterrá-la!

A raposa estava morta, mas ainda assim sentiu uma onda de prazer ao ver-se alvo daquele favor.

O homem bom enterrou a raposa e seguiu adiante. Mas a raposa carente gostou tanto do negócio – houve até uma bênção sobre o seu túmulo, imagina! – que se desenterrou às pressas e foi correndo postar-se outra vez no caminho do homem bom.

– Santo Deus, outra raposa morta! – disse ele ao ver a bichana estrebuchada sob uma nuvem de moscas.

Após expulsar o mosquedo, o homem bom pegou o cadáver da raposa, cobriu-o de folhas e depois partiu. Assim que ele partiu, o focinho da raposa morta surgiu da folharada. Ela parecia um pouquinho frustrada, desta vez, pois aquela sepultura de folhas não fora como o glorioso sepultamento sob a terra. Mas, ainda assim, fora um alto favor, consolou-se a raposa carente, contentando-se com menos.

– De favores não hei de me cansar jamais! – disse ela, enquanto o homem bom se afastava.

Após livrar-se das folhas, ela correu por um atalho dentro da mata e foi esparramar-se novamente, bem mais adiante, no caminho do homem bom.

– Será possível? – disse ele, já contrariado. – Alguém anda exterminando raposas por aqui!

Desta vez, havia uma nota de irritação na voz do homem bom quando ele arredou a defunta com o pé até a sombra descoberta de uma árvore antes de partir.

Assim que o homem bom desapareceu, a raposa carente abriu um olho e disse:

– As coisas já foram bem melhores, é preciso admitir. Mas, enfim, foi sempre um favor!

Oh, como ela ambicionava ser amada! Cega por esse desejo, a raposa carente foi correndo encontrar outro atalho para saborear nem que fosse a última migalha do afeto alheio.

Desta vez, porém, ao avistar a raposa morta, o homem bom já estava farto e deu um chute no corpo da raposa.

– Dane-se você! – exclamou ele, irritado.

A raposa carente rodopiou e foi cair dentro da mata, enquanto o homem bom, a passos firmes e raivosos, foi ser mau em outra parte.

Esfolada, a raposa descobriu, então, que forçar o afeto é forçar o enfado.

O PEQUENO HOMEM

Havia uma vez um príncipe que gostava de caçar. Certa feita, ele entrou na floresta com seus irmãos e acabou perdendo-se deles.

– E esta, agora! – disse ele, olhando para todos os lados.

Sem os seus cães, o príncipe era um zero à esquerda na floresta. Desorientado, errou em todas as direções, só para descobrir que, em todos os quadrantes, continuava perdido.

Então, após tomar um rumo às cegas, foi dar numa terra de gigantes. Isso ele soube quando viu uma casa que mais parecia uma montanha de madeira.

Após bater na porta, ele viu-se diante de um homem gigantesco, que lhe perguntou quem ele era.

– Estou perdido, meu amigo, e preciso de abrigo.

O gigante, que não era muito amigo de intrusos, fingiu ser hospitaleiro ao reconhecer na figura do homenzinho perdido o príncipe do reino vizinho.

– Pode entrar – disse, de má vontade.

Junto com o gigante moravam sua esposa e sua filha. A filha, que também era gigante, chamava-se Guimara.

O príncipe ficou abrigado na casa colossal, à espera de que viessem buscá-lo. Enquanto os irmãos não apareciam, acabou apaixonando-se pela princesa gigante. Ela, por sua vez, também achou qualidades bastantes naquele ser minúsculo para por ele se apaixonar.

O pai de Guimara, no entanto, não gostou disso e resolveu complicar a vida do príncipe.

– Chegou-me aos ouvidos que você pretende, numa só noite, erguer um novo palácio para mim – disse o gigante. – Se for verdade, quero vê-lo fazer. Se não for, quero vê-lo morrer.

Apavorado, o príncipe teve de confirmar tudo.

– Certamente que o farei – balbuciou ele.

– Isso, amanhã veremos – respondeu o gigante, desaparecendo.

O homenzinho foi chorar as mágoas para a sua amada, que tratou de acalmá-lo.

– Deixa comigo, belo homenzinho. Sou uma maga, e posso fazer tudo isso num estalar de dedos.

E de fato, durante a noite, ela construiu um majestoso palácio.

Na manhã seguinte, ao ver o palácio, o gigante ficou com cara de palhaço.

– Aqui tem truque! – disse ele, mas só para si.

Então, o gigante procurou de novo o homenzinho e o desafiou a limpar a Ilha das Feras Bravias, tornando-a um jardim ameno e aprazível.

– Se for verdade, quero vê-lo fazer. Se não for, quero vê-lo morrer.

O homenzinho correu, então, novamente, à amada, que tratou de limpar a Ilha das Feras Bravias, transformando-a num verdadeiro Jardim Botânico.

O gigante torceu a boca ao ver o resultado.

– O que está feito, está feito, mas o que há de ser feito, também há de ser feito.

O que ele queria dizer com sua charada é que pretendia matar naquela mesma noite tanto o homenzinho insolente quanto a sua própria filha desobediente.

Guimara e o homenzinho, porém, fugiram do quarto antes da chegada do pai, deixando sob os lençóis duas bananeiras, uma gigante e a outra pequena.

Os dois fugitivos ganharam a noite montados num cavalo veloz, levando consigo uma espingarda. Ao descobrir o logro, o gigante montou noutro cavalo veloz e partiu no seu encalço.

Ora, acontece que o cavalo do gigante era mais veloz, e não demorou muito para que os fugitivos se convencessem de que logo seriam alcançados.

– Vamos passar-lhe outro logro – disse a mulher gigante.

Quando o gigante chegou à beira de um rio, foi isto que encontrou: Guimara transformada num riacho; o homenzinho, num preto velho; o cavalo, numa árvore; a sela do cavalo, numa réstia de cebolas; e, finalmente, a espingarda, num beija-flor.

O preto velho banhava-se no rio.

– Diga lá, não viu passar por aqui um casal de fugitivos a cavalo?

O preto velho, jogando água sobre os cabelos com a cova das mãos, disse, olhando para as cebolas:

– O que eu sei é que plantei estas cebolas, mas não sei se me sairão boas!

"Que maluco!", pensou o gigante, desviando o olhar.

Então, ao ver o beija-flor, correu até ele. Mas a avezinha estava tão brava que quase furou-lhe os olhos, o que o obrigou a voltar correndo para casa.

– Danação, perdi a pista dos dois! – disse ele à esposa.

– Você é um bobo, mesmo! – disse ela. – Então não vê que é tudo truque?

Ponto por ponto, a mãe gigante deslindou os truques da filha, fazendo com que o gigante, enfurecido, montasse no cavalo e partisse novamente no encalço dos fugitivos.

Ao vê-lo, a filha se converteu numa catedral e transformou o amado num padre, a sela num altar, a espingarda num livro de reza e o cavalo num sino.

Ao ver a catedral resplandecente, o gigante se atirou para dentro.

– Homem de Deus, o senhor viu por aí minha filha e um homenzinho?

O padre, com o nariz enterrado no missal, respondeu em feitio de poesia:

Nada vi, não,
Que estou em oração,
E quem me azucrina
Entra em danação.

Assustado, o gigante retornou, persignando-se todo, e foi contar tudo à esposa.

– Seu bobo! – disse ela. – É tudo enganação da marota!

E lá se foi de novo o gigante, sedento da vida da filha e do homenzinho.

Desta vez, no entanto, Guimara resolveu mudar de tática. Após tomar um punhado de cinzas, atirou-as para o alto e uma neblina escandinava desceu, como por mágica, sobre a floresta.

O gigante perdeu-se de vez, enquanto o casal chegava, finalmente, ao castelo do príncipe. Antes de entrar, porém, a gigante lhe fez esta estranha advertência:

– Quando entrar, não beije a mão de sua tia, ou me esquecerá para sempre.

É claro que a primeira coisa que o príncipe fez foi ir correndo beijar a mão da tia, o que provocou o imediato esquecimento da sua amada. Desde então, Guimara converteu-se numa mulherzinha pequena e triste. Como doida, ela passou a perambular noite e dia pelas cercanias do palácio, na tentativa inútil de convencer o príncipe de que um dia fora a sua amada.

A MOURA TORTA

Este é um dos contos mais populares do vasto repertório que circula pelo interior do Brasil. Como a imensa maioria, não é criação brasileira, mas uma adaptação de um dos contos mais divulgados da literatura oral de todo o mundo.

Havia, pois, certa feita, um rei que mandou o filho correr mundo. O príncipe ganhou a estrada e, depois de encerar meio mundo, topou com uma velhinha dobrada a carregar um feixe de lenha. A cada passo, ela gemia sob o seu fardo, o que encheu de dó o príncipe.

– Deixe, boa velhinha, que eu carrego o seu feixe – disse o príncipe.

A velha deu um suspiro e arriou a carga.

– Obrigada, meu jovem – disse ela, aliviada, porém sem endireitar as costas, pois era corcunda.

Então, ela retirou de seu alforje três laranjas novinhas e entregou-as ao seu benfeitor.

– Coma estas laranjas sempre que sentir sede – disse ela. – Mas cuidado: só as coma quando estiver perto de um curso d'água.

O príncipe jurou que assim o faria, embora, desde já, saibamos que assim não o fará.

De fato, ao sentir sede pela primeira vez, ele descascou uma das laranjas num descampado. De dentro dela saltou uma bela jovem, dizendo:

– Dá-me água ou morrerei!

Como não havia água por perto, a pobrezinha morreu de sede feito um mosquitinho.

Dali a dois dias o príncipe, que devia ser muito esquecido, sentiu sede de novo e descascou a segunda laranja sem ter à vista qualquer córrego d'água. Uma segunda jovem, ainda mais bela do que a primeira, saltou de dentro e repetiu a ladainha:

– Dá-me água ou morrerei!

Morreu realmente de sede, a pobre.

Na terceira vez em que sentiu sede, o príncipe lembrou-se, finalmente, do aviso da velha e procurou a beira de um rio antes de descascar a terceira laranja.

– Vejamos desta vez! – disse ele, metendo a faca.

Então uma terceira jovem, mais bela do que as outras duas, surgiu com o mesmo pedido:

– Dá-me água ou morrerei!

Ele tomou-a nos braços e levou-a, às pressas, até as margens do rio.

– Beba, linda jovem! – disse o príncipe, instantaneamente apaixonado.

Como estava perto de casa, o príncipe decidiu casar-se logo com ela. Mas como a jovem estava nua, não havia como levá-la, assim, ao palácio.

– Suba no alto desta árvore e me aguarde enquanto vou buscar uma roupa! – disse ele.

Nua como estava, a jovem trepou no galho mais alto e ali ficou sentada, à espera. Uma brisa fresca passando por entre as ramagens refrescava seu corpo, e ela achou aquilo muito bom.

O dia passou até que, de repente, uma mulher muito feia aproximou-se das margens. Era chamada de Moura Torta, pois, além de feíssima e caolha, também era corcunda.

A Moura tinha ido buscar água, pois era a criada mais reles do palácio. Ao debruçar-se no rio ela viu, porém, o reflexo de algo na água. Primeiro lhe pareceu que uma romã madura e de polpa rosada flutuava na água. Ela tentou apanhá-la, mas a fruta desapareceu.

– Irra, afundou! – esganiçou a Moura.

Depois que a água serenou, ela viu a imagem de um rosto belíssimo e embasbacou-se.

– Nossa, como sou bela! – gritou ela, de alegria e surpresa.

Jogando para o alto o cântaro, ela voltou ao palácio disposta a ser tratada de acordo com a sua beleza.

– De hoje em diante, quero o melhor quarto da criadagem e o direito de ser concubina do rei!

Um coro de risos e de desaforos desceu sobre ela.

– Toma outro cântaro e vai buscar água, Moura horrorosa! – disse o chefe da criadagem.

A pobre voltou à margem do rio certa de ter sofrido algum delírio, mas, ao abaixar-se outra vez para apanhar água, viu a imagem da mesma jovem a sorrir.

– Aí está! Sou eu ou não sou? – disse ela, pondo as mãos nas ancas.

De novo, voltou ao palácio com o mesmo aranzel de que era a criatura mais linda do mundo.

– A Moura ficou doida de vez! – diziam todos pelos corredores.

Então lhe deram um terceiro pote e a ameaçaram de morte caso voltasse sem a água e com aquele mesmo teterém de aluada.

Na beira do rio, a Moura viu-se linda outra vez, só que, desta vez, a imagem, antes muda, rompeu numa gargalhada.

– Ah, então era você, linda fadinha! – guinchou a Moura ao ver a moça. – Desça, menina nua! Quero ver tanta beleza de perto!

A jovem desceu, e a Moura começou a elogiá-la.

— Muito linda, você! Mas deixe eu ajeitar melhor os seus cabelos!

Então, pegando um alfinete mágico, espetou-o na cabeça da jovem, que virou imediatamente uma pomba.

— Xô, desavergonhada! – disse a Moura, enxotando a avezinha.

Ao ver, porém, que o príncipe retornava, a Moura despiu-se inteira e subiu ligeira ao topo da árvore.

— Voltei, meu amor! Agora, vista isto! – disse ele, carregando vestes dignas de uma princesa.

Mas algo acontecera com a princesa. Sua pele alva ficara escura e mosqueada.

— O que houve com a sua pele, antes tão clara? – disse ele, frustrado.

— Oh, meu amor! Você demorou tanto que queimei-me inteira ao sol! – respondeu a serva.

— E esse olho vazado?

— Foi um espinho, meu adorado!

— E esses dentes estragados?

— Comi uma fruta podre e as sementes arruinaram-me os dentes!

Então a Moura pediu que ele a levasse ao palácio, que lá ela recobraria seu estado anterior. O príncipe consentiu.

— Está bem, lá veremos o que se há de fazer.

Uma vez na corte, a Moura obrigou o príncipe a cumprir sua promessa de casar-se com ela.

— Recobre ou não a minha beleza, você deve cumprir com a sua palavra! – insistia todo santo dia.

Não teve outro jeito, e as núpcias foram marcadas.

Então, quando tudo parecia perdido, a pombinha encantada aproximou-se do príncipe, nos jardins do palácio, bem no dia do casamento. Ela deu várias voltas ao redor do príncipe até que ele a tomou nas mãos e começou a acariciar a sua cabeça.

— Linda pombinha, se minha futura esposa fosse ao menos parecida consigo!

De repente, porém, sentiu que havia um caroço na cabeça da ave, e descobriu a cabeça de um alfinete. Ao puxá-lo, a grande surpresa: a pomba voltou a se transformar na sua antiga amada.

— Você, adorada! – exclamou ele, abraçando-a perdidamente.

No fim das contas, tudo explicado, o príncipe casou-se com a amada, enquanto a Moura Torta foi lançada viva numa fogueira, restando de si apenas um amontoado de cinzas.

A RAPOSINHA

Este conto narra as peripécias que um príncipe passou para arrumar um remédio para o seu pai cego.

Diz-se, então, que o príncipe, depois de muito andar, chegou a um lugar onde um grupo de homens ocupava-se em surrar um defunto com um pau.

– Monstros! Por que cometem tal atrocidade? – gritou ele, indignado.

– Este homem era um caloteiro! – explicou o chefe do bando.

– Mas ele está morto!

– E daí? Em nossa cidade, a lei é severa para com os corruptos e os desonestos, e nem mesmo os mortos escapam à punição!

– Quanto ele devia? – disse o príncipe, e pagou o que o defunto devia. – Agora, enterrem-no como a um cristão.

Depois disso, o príncipe seguiu adiante até dar com uma raposinha.

– Aonde vai, meu príncipe? – disse a raposa.

– Vou em busca de um remédio para os olhos do meu pai.

– Pois saiba que remédio para olho de rei cego só há um: cocô de papagaio.

– E onde encontro cocô do papagaio? – disse o príncipe.

– No Reino dos Papagaios, naturalmente – respondeu a raposa.

– Onde fica esse reino?

A raposa ensinou o caminho e depois completou:

– Chegue lá à meia-noite e escolha o papagaio mais triste da gaiola mais tosca que houver.

O príncipe foi e encontrou o tal reino. Ao entrar nele, viu gaiolas de todos os tipos e formatos penduradas por toda parte. Todas eram de ouro, e cada qual trazia dentro um papagaio mais saudável, feliz e tagarela que os outros. Não é preciso dizer que o príncipe agarrou a gaiola mais bonita que viu.

Lá no fim da cidade, no bairro dos papagaios pobres, estava uma gaiola de pau, coberta de excrementos e com um papagaio todo triste no seu interior, que o príncipe nem viu.

O príncipe já ia cruzando o portão da cidade quando o papagaio da gaiola de ouro gritou, alertando os guardas.

– Muito bem, espertinho, o que leva aí? – disse o guarda, um enorme papagaio.

O príncipe explicou o seu drama até comover o papagaião.

– Muito bem, mas só levará a gaiola se trouxer antes uma espada do Reino das Espadas.

O príncipe suspirou e, depois de largar a gaiola, foi em busca do tal Reino.

– Sempre essas repetições! – disse ele, chutando uma pedra que quase acertou o focinho da raposa, que andava perambulando pela estrada.

– O que resmunga aí, meu príncipe? – disse ela.

Ele explicou, e a raposa, desgostosa, abanou a cabeça.

– Tsc, tsc, tsc! Eu não disse para pegar a gaiola mais tosca? Pois agora vá ao Reino das Espadas e faça como eu digo: entre à meia-noite e pegue a espada mais fajuta que houver.

Não é preciso dizer que o príncipe foi e pegou a espada mais bela que havia, toda de ouro, deixando de lado a mais feia. Na saída, a espada deu um estalo, e o guarda barrou a passagem do príncipe.

– Vá ao Reino dos Cavalos e me traga um de lá. Só então poderá levar a espada.

O príncipe quase desmaiou de raiva.

E atirou-se, de uma vez, para o Reino Amaldiçoado dos Cavalos.

A esta altura, já sabemos tudo o que se passou: o príncipe cruzou com a raposa, ouviu dela uma nova repreensão e escutou o conselho de escolher o pangaré mais feio que houvesse no reino.

Algumas horas se passaram, e vemos, agora, o príncipe montado no mais belo puro-sangue, a deixar o Reino dos Cavalos. Então, o cavalo relinchou, e começou tudo outra vez.

– Aonde vai com nosso melhor cavalo? – relinchou o guarda.

O príncipe explicou.

– Pois só pode levar o cavalo se furtar a filha do rei – retrucou o cavalo.

O príncipe partiu, muito aliviado. O pesadelo das repetições parecia ter-se acabado! No caminho, ele cruzou pela última vez com a raposa.

– Aonde vai? – disse ela.

O príncipe explicou mais uma vez.

A raposa olhou bem o príncipe nos olhos e disse, muito solenemente:

– Muito bem, chegou a hora da revelação: eu sou a alma daquele caloteiro que os cobradores surravam. Infelizmente, você não ouviu meus conselhos, e por isso toda essa confusão.

Então, a raposa disse ao príncipe o que ele deveria fazer, e desta vez ele fez direitinho. Para começar, furtou a princesa. Depois, pegou o pangaré no Reino dos Cavalos, a espada ferruginosa no Reino das Espadas e o papagaio triste no Reino dos Papagaios.

Quando já ia no caminho de casa, encontrou seus irmãos, uns malvados que logo conceberam um plano para se apossarem de tudo o que ele trazia.

– O que está fazendo nesta estrada cheia de ladrões? – disseram eles, falsamente zelosos. – Tome aquele atalho, pois só assim chegará ao nosso palácio são e salvo.

Ao tomar o atalho deserto, ele encontrou novamente os irmãos, que o amarraram e o lançaram numa cova para morrer.

– Essas coisas nós mesmos levaremos! – disseram eles, carregando a princesa, o cavalo e o restante que o príncipe trouxera.

Ao chegarem diante do rei, porém, a princesa ficou feia, o papagaio ficou ainda mais triste, a espada desmanchou-se e o cavalo cobriu-se de sarnas.

– Patifes! Que gracejo é este? – disse o rei, que apesar de cego não era bobo. – Prendam-nos na mais profunda masmorra!

Logo que os maus filhos foram aprisionados, o príncipe deambulador chegou, radiante. A raposa, num último ato de gratidão, libertara-o da cova, e ele agora já podia apresentar-se diante do pai.

Assim que o príncipe colocou os pés no palácio, a princesa voltou a ser bela, a espada tornou-se de ouro, o cavalo engordou, e o papagaio deixou de ser triste.

O rei cego teve seus olhos besuntados e passou, desde então, a enxergar.

Quanto ao príncipe, casou-se com a princesa e viveu com ela feliz para sempre.

JOÃO GURUMETE

Este conto também é importado do folclore europeu, constituindo uma variante do "Alfaiate Valente" dos Irmãos Grimm. Como em tantas outras terras, o Mata-Sete também se aclimatou muito bem no Brasil.

O conto começa dizendo que havia, certa feita, por estes sertões, um sapateiro muito medroso. Um dia, ele derramou um pouco de cola na mesa e, dali a pouco, sete moscas acabaram grudadas na meleca.

Um dos seus colegas, muito amigo de gracejos, inventou logo este bordão para o amigo:

– João Gurumete, que de um golpe matou sete!

Desde esse dia, o sapateiro medroso ganhou a fama de valente por todo o sertão.

Então, certo dia, apareceu uma fera devastando tudo. Ela comia qualquer coisa que respirasse. E, mais que tudo, adorava o número sete: tinha sete cabeças, sete línguas, e comia suas vítimas de sete em sete.

Um dos reis do sertão – naquele tempo havia reis espalhados por todo o sertão, chamados "coronéis" – mandou sete tropas para liquidar com o bicho, mas ele comeu todas as sete.

Então, alguém disse ao rei que João Gurumete era a salvação.

– Aquele que deu morte a sete?

– Sim, ele mesmo.

João foi chamado e intimado a matar sozinho a fera.

– Aí está o que você foi inventar! – queixou-se o pobre João ao amigo gozador. – Quero ver agora como hei de me haver com esse monstro!

O amigo, porém, tinha uma solução.

– Faça como lhe digo e derrotará o monstro.

João escutou e foi em frente. Após atrair a fera até uma igreja velha, entrou para dentro e saiu pela porta dos fundos, cerrando-a com cadeados e trancas. Não tendo outro meio de sair, o bicho se esvaiu de fome, e só então o Gurumete entrou lá para cortar fora as sete cabeças da fera.

– Sete vezes valente! – disse o rei, ao receber as sete cabeças do monstro.

João Gurumete virou conde, por obra do rei, e viu chover muito dinheiro sobre si.

* * *

O tempo passou até que surgiu um novo monstro pelos sertões. Na verdade, *novos monstros*, já que eram três. Eles roubavam e matavam.

– João Gurumete, é teu o desafio! – disse-lhe o rei, outra vez.

O sapateiro covarde encheu as calças antes de ir ter com o seu amigo.

– E esta, agora! Se um já era difícil, que dirá três monstros! Desta vez estou perdido!

Mas o amigo sabia todas as manhas para derrotar monstros.

– Faça como digo e se sairá bem outra vez.

Gurumete foi e fez. Depois de descobrir o local onde os gigantes descansavam da sua ruindade, à sombra de uma árvore enorme, aproveitou a ausência deles e pendurou três pedras pesadíssimas no alto. Quando os três retornaram e foram descansar debaixo da árvore, João cortou a corda da primeira pedra, que foi cair na cabeça do primeiro gigante.

– Começaram as graçolas? – disse este, ao sentir uma poeirinha roçar-lhe a testa. – É sempre assim quando vou tirar uma pestana!

Os outros dois se fizeram de surdos, e logo os três roncavam à vela solta.

Gurumete cortou a segunda pedra, que foi dar na testa do segundo gigante.

– Quem foi o cretino? – disse ele, alisando a testa. – Bem sabem, idiotas, que não tolero perturbações no meu sono!

Quase houve uma briga daquelas, mas, graças ao cansaço, logo os três voltaram a dormir.

Então, João cortou a terceira corda, e o pedregulho acertou bem no meio dos olhos do terceiro gigante. Acontece que esse terceiro gigante não era de ameaças, mas de briga mesmo, e logo a confusão começou para valer. Depois da luta, os três estavam estendidos e mortos sob a árvore. João desceu e cortou fora a cabeça de cada um dos três, levando-as para o rei.

João Gurumete foi agraciado com um novo título e ganhou mais um montão de dinheiro.

– Quanto mais, melhor – disse o amigo, embolsando a sua parte.

* * *

O último desafio de João Gurumete não foi vencer monstro algum, mas substituir um general do rei que morrera em combate numa guerra feroz.

– Se vencer a guerra, lhe darei minha filha em casamento – disse o rei.

O amigo de Gurumete lhe disse que se vestisse como ele.

– Vista sua farda e monte em seu cavalo. Aja como ele, e tudo sairá bem.

No acampamento, soldado algum sabia da morte do general, pois temia-se que o anúncio da morte dispersasse todo o exército. João Gurumete montou no cavalo e surgiu diante da tropa.

– O general voltou! – gritavam todos, em êxtase.

Neste instante, o cavalo assustou-se com a gritaria e largou a correr na dianteira da tropa. Tudo isso ia muito contra a vontade de João, que pôs-se a gritar e a espernear feito doido.

– Ouçam, é o grito de guerra do general! – disseram os soldados, eufóricos.

Imediatamente a tropa juntou-se e seguiu com entusiasmo o seu general, destroçando em menos de uma hora o exército inimigo.

João Gurumete, vitorioso, casou-se afinal com a princesa e, na noite de núpcias, depois de beber muito vinho, começou a sonhar e a falar bobagens do seu tempo de sapateiro em pleno leito matrimonial, como se estivesse na sua oficina.

– Casei-me com um reles sapateiro, e não com um guerreiro! – reclamou a princesa ao rei.

No dia seguinte, João foi avisado pelo amigo fiel de que iria ter a cabeça cortada caso continuasse com aquelas conversas reles de sapateiro. Então, João Gurumete deitou-se com um chanfalho do lado, que era uma espécie de espada, e fingiu a noite inteira que guerreava como um cavaleiro notável, e só não matou a esposa porque esta saiu, descabelada, correndo do leito.

– Meu marido é, deveras, um grande guerreiro! – disse ela, entre assustada e admirada.

Desde então, João Gurumete aprendeu a sonhar em silêncio, e foi assim que continuou a cortar e remendar docemente o couro nos seus mais lindos sonhos.

A RAPOSA E O TUCANO

Certa feita, a raposa decidiu pregar uma peça no tucano.
– Ó, amigo tucano, venha comer lá em casa!
Envaidecido pelo convite, o tucano aceitou na hora. Quando chegou à casa da raposa, esta lhe serviu um mingau numa esparrela comprida e rasa.
– Coma à vontade! – disse a raposa, preparando-se para rir.
O pobre tucano tentou comer o mingau espalhado, mas o seu bico não conseguia recolher nada a não ser umas reles gotinhas e, de tanto bicar a esparrela, acabou com o bico enorme rachado.
O tucano partiu, mas decidiu se vingar.
– Adorei a sua hospitalidade – disse ele, dias depois. – Agora, é a sua vez de aparecer lá em casa.
A raposa, tornando-se subitamente ingênua, aceitou.
– Muito bem, lá estarei, na hora marcada.
Quando chegou o dia, a raposa foi obsequiada com o mesmo mingau, só que ele foi servido numa jarra de gargalo estreito. O tucano enfiou o bico lá dentro e se deliciou à vontade, enquanto a raposa, com seu focinho curto, não conseguia lamber nem uma gotinha.
No fim das contas, a desgraçada ficou com o focinho entalado e acabou morrendo sufocada.
E foi assim que a raposa, metida a graciosa, levou o seu troco.

O PADRE DESPREOCUPADO

Havia, certa feita, um padre despreocupado. Sua despreocupação era tamanha que nada era capaz de tirá-lo de sua paz. Na entrada de sua casa, mandara gravar até este dístico para que todos soubessem o quanto prezava a despreocupação: "Aqui nesta casa mora o padre despreocupado".

A sua fama cresceu tanto que chegou aos ouvidos do rei.

– Não é possível que num mundo como o nosso esse homem não se preocupe com nada – disse ele, que não sabia fazer outra coisa no mundo a não ser preocupar-se.

O conselheiro real tinha uma teoria a respeito.

– Este padre é um homem sem bens e sem mulher ou filhos, daí a sua total despreocupação – disse ele. – Quem nada tem a perder, de nada se arreceia.

– Se for assim, então ninguém é mais feliz do que os mortos, pois nada mais têm a perder – disse o rei.

– Felizes não, alteza. Despreocupados, talvez.

Então o rei decidiu tirar a prova do padre despreocupado.

– Convoque-o ao palácio. Diga que venha dentro de três dias responder-me a três perguntas que hei de lhe fazer. Caso não as responda, terá a sua cabeça cortada.

Um mensageiro foi enviado até o padre com a convocação. Após ler a parte final da mensagem, o padre conheceu, pela primeira vez na vida, a pontada aguda da preocupação.

– Arre! Morrer é coisa séria! – disse ele, coçando, nervoso, a coroa raspada.

Desde esse dia, o padre despreocupado não soube mais o que era dormir nem comer, até que, ao despontar o terceiro dia, acordou em verdadeiro pânico. Após vestir às pressas a batina, bateu a sineta, chamando o criado. Explicou-lhe o seu drama e pediu ao serviçal um conselho que nem todas as luzes da sua religião haviam podido lhe dar.

– Se o meu amo quiser, irei no seu lugar – disse o servo, muito seguro de si.

"Virgem Santíssima! Aí está alguém realmente despreocupado!", pensou o padre, admirado.

– Está disposto, então, a morrer em meu lugar?

– Não morrerei, bom amo – respondeu o outro, imperturbável.

O servo vestiu a batina do padre, raspou o cocuruto e foi ter com o rei.

– É você, então, o tal padre despreocupado? – disse-lhe o rei.

– Exatamente, majestade.

– Continua despreocupado?

– Perfeitamente, alteza.

– Então, me responda isto: quantos cestos de areia há ali naquele monte?

Num canto do salão real, havia uma pequena montanha de areia empilhada.

– Há ali, alteza, um único cesto de areia.

– Um cesto, só?

– Sim, pois basta fazer um cesto grande o bastante para conter toda a areia.

O rei coçou a cabeça por baixo da coroa e aplaudiu, afinal, a resposta.

– Muito bem, agora diga-me, senhor despreocupado, quantas estrelas há no céu?

O padre falso deu um número exato e desproporcional, na casa quebrada dos cinquentilhões, se tal coisa existe, deixando o rei embasbacado.

– Impossível alguém saber o número exato!

O padre de araque, porém, respondeu, imperturbável:

– Tão impossível, alteza, quanto alguém saber *não ser este* o número exato.

O rei coçou outra vez a coroa e deu-se por vencido.

– Vá, passa! – disse ele, cerzindo os olhos. – Agora responda a última e mais difícil pergunta: o que estou pensando neste exato momento?

O criado travestido de padre empertigou-se todo e fulminou:

– Vossa Alteza pensa estar falando com o padre, mas fala mesmo é com o seu criado.

A CAVEIRA FALANTE

Certa vez, ia um caçador pela mata quando se deparou com uma caveira a descansar sobre a relva. Ao ver que ela continuava viva, perguntou-lhe:
– Quem te trouxe até aqui?
A caveira bateu a mandíbula, como um boneco de ventríloquo, e respondeu:
– Minha boca grande me trouxe até aqui!
O caçador, assombrado, foi correndo falar com o rei.
– Majestade, encontrei uma caveira falante no meio do mato!
O rei, desconfiado, olhou o caçador de cima a baixo.
– É verdade, majestade! Até falei com ela!
O rei decidiu mandar um soldado junto com o caçador para verificar se a história era verdade.
– Se estiver mentindo, passe-lhe a espada! – disse o rei, amante da severidade.
O caçador e o guarda penetraram outra vez na mata. Chovia. Depois de chapinhar na lama, o caçador avistou a caveira no mesmo lugar onde a deixara.
– Lá está ela!
A caveira, lavada pela chuva, reluzia. O caçador aproximou-se, chamando o guarda.
– Fala, caveira! – disse ele, num rasgo de coragem.
Mas a caveira, nada.
Um ruído rascante de espada sendo retirada da bainha gelou o sangue do caçador. Numa vertigem de desespero, ele lembrou da pergunta que fizera na outra ocasião.
– Quem te trouxe até aqui, caveira? Diga!
Silêncio, de novo.
Então, o pânico apoderou-se da alma do caçador.
– Fala, desgraçada! Quem te trouxe até aqui?
Mas a caveira nada disse, e aqui se acabou tudo para o caçador. O guarda, manuseando a espada com admirável destreza, cortou fora num zás! a cabeça do mentiroso.
Depois que o carrasco partiu, a caveira, virando-se para a cabeça, lhe disse:

– Agora, diga lá, minha amiga: quem te trouxe até aqui?
A cabeça decepada virou-se e disse:
– Minha boca grande me trouxe até aqui!

A PRINCESA DE BAMBULUÁ

Havia, há muito tempo, uma gruta situada entre duas cidades. Ela era assombrada, e toda noite a cabeça de uma donzela meiga surgia para pedir aos homens que nela se aventuravam que a desencantassem. A jovem intitulava-se "princesa de Bambuluá" e fazia seu pedido aos prantos.

Muitos tentaram, mas o resultado era sempre uma série de provas rudes que acabavam por fazer o pretendente fugir mata afora.

Certo dia, surgiu por ali um sujeitinho amarelo e enfezado. Ele estava exausto e não sabia mais o que fazer da vida. Depois de sentar-se à entrada da gruta, começou a lamentar-se.

– Estou cansado de ser feio e fraco!

Então, de repente, surgiu flutuando a cabeça da princesa.

– Não quer desencantar-me, belo jovem? – disse ela, na mais maviosa das vozes.

O sujeitinho feioso, que se chamava João, estava topando qualquer coisa, ainda mais um pedido feito por uma cabeça tão linda. Imediatamente ele aceitou a proposta, mas, antes de desencantá-la, pediu para comer e beber algo. A cabeça linda levou o sujeitinho para o interior da gruta, onde uma mesa farta pôs fim à sua fome e à sua sede.

– Agora vá até o alto da serra e deite-se debaixo da árvore mais alta que lá houver – disse a bela cabeça. – Haja o que houver, suporte tudo até o fim.

João Amarelo fez o que ela disse e, quando estava deitado debaixo da árvore, viu chover sobre si uma tempestade de pauladas, até que ele rolou de volta para a gruta.

Para sua surpresa, descobriu que a princesa estava desencantada de um terço do corpo, podendo-se ver já a figura desde a cabeça até o busto pudicamente coberto.

A princesa tratou dos ferimentos do jovem, mas já na noite seguinte ele teve de retornar ao seu calvário, no alto da serra.

– Não se esqueça, suporte tudo sem reclamar ou gemer! – disse o busto.

João Amarelo foi e suportou a sova outra vez, voltando para a gruta como uma pedra que rola. Para seu consolo, a princesa já estava desencantada até a cintura, com braços e tudo.

– Mais uma noite e estarei completamente desencantada! – disse ela, enquanto João mordia os lábios rachados de apreensão: será que aguentaria mais uma sova?

Aguentou, sim, mas não foi fácil. Desta vez, os agressores invisíveis meteram-no dentro de um barril cheio de espinhos e cacos de vidro e rolaram-no pela noite inteira. Ao ver-se de volta à gruta, porém, todo o martírio foi recompensado com a visão da princesa de Bambuluá totalmente desencantada.

* * *

A segunda parte começa com uma viagem que João e a princesa fizeram até uma cidade vizinha.

– Agora parto para meu reino – disse ela. – Enquanto estiver lá, você deverá instruir-se aqui na linguagem dos pássaros e em todos os demais saberes de um homem que pretende ser meu esposo.

João prometeu que estudaria tudo o que fosse preciso.

– De ano em ano virei vê-lo, até cumprirem-se cinco anos – acrescentou a princesa. – Minha visita anual será curtíssima, durando apenas uma hora. Adeus.

João ficou na casa de uma preceptora velha e horrível, mas que possuía duas filhas jovens e lindas. Logo nos primeiros meses, ao ver que o jovem, apesar de feio e amarelo, era muito estudioso, a velha decidiu casá-lo com uma das filhas.

– A princesa que arrume outro! – disse ela.

Quando fechou o primeiro ano, a princesa veio ver João, mas a velha havia lhe dado uma "dormideira", que é como se chamam, nos contos de fadas, as poções para adormecer.

Resultado: João não pôde ver a sua adorada princesa, e ela retornou, muito frustrada, à corte.

Nos anos seguintes, a coisa se repetiu, e a princesa vinha e partia sem ver seu pretendente. Então, ao cumprirem-se os cinco anos, ela chegou à conclusão de que ele a havia esquecido.

Quando João soube que a princesa não queria mais vê-lo, entrou em pânico e fugiu da casa da velha para encontrar o reino da amada. Depois de andar por tudo, foi dar numa casinha à beira-mar.

– Ó de fora, entre já e agora! – disse uma vozinha no interior.

João entrou e deparou-se com um velho velhíssimo.

– Sente-se – disse o fio de voz, que era quase um pipilar.

João contou que procurava o reino de Bambuluá.

– Sou o Príncipe dos Pássaros – respondeu o velho. – Pode ser que algum de meus súditos saiba lhe indicar o caminho.

O velho tomou de uma matraca e começou a girá-la, réc-réc-réc, e surgiu dos céus uma tamanha nuvem de pássaros que o dia quase virou noite. As aves entraram pelas janelas e por todos os vãos da casa, e começaram a atacar o jovem, julgando-o um inimigo.

Depois que o velho acalmou as aves, fez um inquérito para saber qual delas sabia o caminho para o reino de Bambuluá.

Nenhuma sabia.

– Então só lhe resta ir amanhã bem cedo perguntar a meu pai onde fica – disse o velho.

– *Seu pai?* – exclamou João, incrédulo de que aquele velho ainda pudesse ter pai.

– Ele é o Rei dos Pássaros e mora lá, em tal lugar – disse o Príncipe dos Pássaros, que, pelo andar da carruagem, parecia que jamais chegaria a ser rei.

A casa do Rei dos Pássaros ficava na encosta de um morro. O tal rei era tão velho que mais parecia uma bola de penas encolhida junto à lareira.

– Rei dos Pássaros, preciso saber onde fica o reino de Bambuluá – disse o visitante.

Dentre os dedos recurvos do velho pássaro estava um apito de prata, que ele levou à boca. Um assovio estridente escapou do apito, e nova nuvem de aves tapou o sol e o céu. A passarada quis botar-se inteira, também, contra o forasteiro, mas o Rei impediu o massacre.

– Digam onde fica o reino que o jovem procura – ordenou o velho.

Infelizmente, ninguém sabia, e só restou ao Rei dos Pássaros sugerir ao visitante que fosse fazer uma visita ao seu pai, o Imperador dos Pássaros.

– *Como?* – disse o jovem, no limite da incredulidade.

– A sua casa fica em tal lugar – disse o Rei. – Ele é imperador, e imperadores sabem de tudo.

João saiu e subiu uma colina enorme até deparar-se com uma casinha branca. Desta vez, ninguém mandou-o entrar, o que ele fez por conta própria. Na pequena sala, não havia nada senão uma cabaça suspensa num gancho em cima do fogo. João olhou para dentro e viu um pequeno pássaro, todo enrolado em ramas de algodão. Era o poderoso Imperador dos Pássaros.

– Senhor Imperador, pelo amor de todas as aves do mundo, diga-me onde fica o reino de Bambuluá ou vou morrer de desgosto e exaustão!

O Imperador, movido pela piedade, tomou das ramas do algodão um osso de ema e assoprou por entre os furos. Um ruído fino mas estridente cortou os ares, e foi tudo de novo, o bando de pássaros, depois as bicadas no intruso, até que confessaram não saber de nada.

Um urubu velho e depenado, no entanto, que ficara num canto, parecia saber finalmente a resposta.

– O reino de Bambuluá fica para além do Inferno, mas antes é preciso sobrevoar a caldeira do Diabo.

O Imperador dos Pássaros ordenou a João que desse um boi inteiro para o urubu comer, pois seria ele a sua montaria para transpor o fogo do Inferno.

— Ele? — disse João, ao ver o urubu quase pelado.

— Dê-lhe de comer e amanhã estará como um gavião — disse o imperador.

O urubu comeu o boi inteiro e readquiriu, como por mágica, todas as suas penas. No mesmo instante, João montou nas costas da ave, e puseram-se a caminho do reino da amada princesa.

João fechou os olhos, e tudo o que conheceu do inferno transposto foi um calor enorme no traseiro. Então, quando sentiu uma brisa divinamente refrescante, reabriu os olhos e viu-se numa campina verde e amena. O urubu deu-lhe adeus, e João seguiu sozinho até avistar, no topo de uma montanha, um palácio realmente deslumbrante. No caminho do palácio, ele parou na casa de uma velha solícita.

— Faça um pouso aqui, jovem andarilho — disse ela.

Então, sem dizer nada, a velha sacou um violino estropiado e começou a tocar uma mistura estridente de valsa e mazurca. João pediu para a velha lhe dar o instrumento.

— Tenho cordas novas — disse ele, pois a princesa lhe dera um conjunto antes de partir.

João trocou as cordas e começou a tocar ele mesmo. As cordas eram encantadas, e logo a velha começou a requebrar-se feito doida. Em pouco tempo, todo mundo que passava na rua entrava e punha-se também a dançar freneticamente.

Uma mensageira tinha sido enviada ao palácio para pedir comida. Ao chegar de volta, porém, ela atirou o tabuleiro para cima e saiu dançando junto com os outros. Enquanto isso, no palácio, mandaram outra mensageira com mais comida, imaginando que a primeira tivesse se perdido. Resultado: a segunda também caiu na dança, e todos no palácio ficaram ainda mais intrigados.

— Que alaúza se passa lá embaixo? — perguntou a rainha, afinal.

Após juntar-se com as suas damas de companhia, a digníssima senhora foi ver pessoalmente o que se passava e terminou, ela também, caindo na dança. Logo em seguida, o rei foi ver o que houvera com a rainha e não deu outra, caindo ele também na festa.

Todos estariam dançando até hoje se João não tivesse posto um fim à sua arte.

— Minha filha se casa amanhã — esbravejou o rei. — Você há de tocar na festa ou então terá sua cabeça cortada!

Quando João chegou ao palácio, a princesa reconheceu nele imediatamente o antigo benfeitor. Sem pestanejar, ela anunciou ao pai que não se casaria mais com o seu noivo, um oficial enfadonho de bigodes encerados como ganchos, mas com o seu primeiro e verdadeiro amor, o tocador de rabeca.

A MENINA DOS BRINCOS DE OURO

Ainda hoje circula por aí este conto saboroso, que começa assim.

Havia uma menina que gostava de ir buscar água na fonte, sempre com seus brincos de ouro. Toda a delícia da sua vida era ver-se refletida na água com aqueles dois pingentes dourados, um em cada orelha.

Certo dia, ela resolveu tirá-los um pouco, para banhar-se na água, pois tinha muito medo de perdê-los na correnteza. Ao sair, porém, esqueceu-se de recolocá-los, e eles ficaram lá na margem.

Ao chegar em casa e ver que esquecera os brincos amados, ela voltou correndo à fonte. Ao retornar lá, porém, deparou-se com um velho asqueroso.

– O que quer, fedelha? – rosnou o velho.

– O senhor não viu por aí uns brincos dourados?

– Não, mas estou vendo uma bela menina de cabelos dourados!

Apesar de velho, ele ainda tinha força o bastante para fazer ruindade e, com uma rapidez espantosa, tomou a menina e enfiou-a num saco.

– Agora, você vai ficar quietinha aí dentro do surrão até eu mandar você cantar! – disse o velho, levando-a nas costas, ao mesmo tempo em que lhe ensinava uma cantiga que ela deveria repetir sempre que o velho fosse fazer seus peditórios.

Ele dizia: "Canta, canta, meu surrão, senão te meto o porretão!", enquanto ela tinha de responder: "Metida no surrão de couro, nele hei de sofrer, por causa de uns brincos de ouro, que na fonte achei de perder!".

Os dois andaram pra cima e pra baixo o dia inteiro, e a cada novo pedido do velho uma bordoada no saco fazia a pobre menina repetir a sua ladainha:

– Metida no surrão de couro, nele hei de sofrer, por causa de uns brincos de ouro, que na fonte achei de perder!

Certo dia, as andanças do velho levaram-no à casa da mãe da menina dos brincos de ouro. Ao reconhecer a voz da filha, a mãe, aflitíssima, convidou o velho para passar a noite na casa.

– O senhor está muito cansado. Coma, beba e depois ponha-se a descansar!

O velho encantou-se com tanta caridade, especialmente com aquele negócio de beber. Depois de entornar quase uma pipa de vinho, ele se atirou numa esteira e começou a roncar feito um bugio.

Então a mãe, expedita, tratou de abrir logo o surrão e retirar a filha, quase morta, do seu interior.

– Filhinha amada! – disse a mãe, enternecida, ao ver a menina ainda com os brincos de ouro que ela lhe dera no seu aniversário.

Enquanto o velho dormia, a mãe encheu o surrão de excrementos dos porcos e galinhas da casa, e deixou-o partir no dia seguinte como se levasse ainda no surrão a pobre menina.

– Adeus, mas voltarei, pois aqui passei muito bem! – disse o velho.

Depois de andar um quarto de hora, a fome voltou a roer as tripas do velho.

– Prepare-se, menina, pois é hora de cantar!

Ao chegar a outra casa, bateu palmas e uma senhora apareceu. Como sempre ele disse ao surrão:

– Canta, canta, meu surrão, senão te meto o porretão!

Só que desta vez o surrão ficou mudo.

– Quer apanhar, fedelha? – disse ele, repetindo o refrão: – Canta, canta, meu surrão, senão te meto o porretão!

Nada outra vez.

Então, tomando o porrete, o velho aplicou uma paulada com tal força no surrão que ele explodiu, enchendo-o de titica de porco e de galinha, dos pés à cabeça.

O velho, depois disso, foi preso e enforcado, para aprender a nunca mais andar por aí raptando meninas com ou sem brincos de ouro.

OS QUATRO LADRÕES

Segundo Câmara Cascudo, o conto que vamos ler agora é tão antigo "que fazia rir aos cruzados". "Os quatro ladrões", de fato, é um dos contos mais disseminados pelo mundo – sua primeira aparição se fez na Índia, na mais remota Antiguidade, até encontrar no Brasil a sua moderna versão tropical.

Diz-se, pois, que quatro ladrões estavam descansando certo dia debaixo de uma árvore quando viram passar um sujeito gordo levando consigo um boi enorme e rechonchudo.

– Vejam, amigos! – disse o Ladrão Um. – Ali temos carne para o ano todo!

– Psiu! Vamos passar logo a perna no bobo – disse o Ladrão Três.

O Ladrão Quatro, que não era de muita conversa, simplesmente seguiu os demais.

Já estavam quase chegando quando o Ladrão Um teve uma ideia melhor.

– Mesmo estando em quatro, este gorducho ainda pode nos criar problemas. Vamos nos separar e fazer o seguinte.

Ele explicou direitinho o plano, e logo os quatro estavam espalhados pela mata.

O proprietário continuou seu caminho com o boi até o Ladrão Um lhe aparecer pela frente.

– Bom dia, senhor cachorreiro! – disse ele, sorridente.

O gorducho apertou os olhos para ver quem era o autor da bobagem.

– Cachorreiro, disse você? Onde há cachorro por aqui?

O Ladrão Um fez um ar de pasmo e retrucou:

– Ora, e este cãozinho felpudo aqui, o que é? – e passava a mão no cachaço do touro, enquanto assoviava.

O gordo, meio assustado, deu as costas e saiu ligeiro, puxando o boi pela corda.

– Só dá louco por aqui!

Andou mais alguns passos e se deparou com o Ladrão Dois.

– Linda manhã para passear com o fila! – disse este.

– Está maluco? Que fila? – exclamou o gorducho.

– O cão fila, aí. Meus parabéns, deve ser caçador, e dos bons!

– Se ele é um fila, você é um vira-lata! – exclamou o gorducho, levando o boi.

Andou mais um pouco até topar com o Ladrão Três.
– Ora, viva – disse este. – Já vai cedo pra caça?
– Ah, meu Deus! Que caça? Não vê, então, que levo um boi?
O Ladrão Três caiu na gargalhada.
– Ah, ah! Boa, esta! Mas que é cão, é! E cão dos bons!
O Ladrão Três começou a alisar as fuças chatas do boi.
– Este focinho pontudo aqui não engana! Deve farejar uma cutia a quilômetros de distância!
– Adeus! – disse o gorducho, levando o boi de arrasto.
No seu íntimo, porém, crescia cada vez mais a dúvida.
– Será boi mesmo? – disse ele, parando, a certa altura, para conferir.
Ele havia comprado o bicho na feira, mas agora começava a desconfiar de algum logro muito bem engendrado.
Neste ponto o boi mugiu alto, para desfazer a dúvida, e o proprietário acalmou-se.
– Graças a Deus! É boi, mesmo! E que mugido!
Seguiu adiante, certo de que uma epidemia de loucura grassava por perto.
De repente, porém, surgiu-lhe pela frente o Ladrão Quatro.
– Ah, aí está! – disse ele, a sorrir. – Pelo latido bem vi que era um senhor perdigueiro!
– Que loucura! – exclamou o gordo. – Onde há cachorro algum por aqui? Não vê, então, que é um boi, estrupício?
O boi abanou a cauda, nervoso, e o Ladrão Quatro arreganhou ainda mais os dentes.
– Ah, ah! Abana o rabo que nem cachorro mateiro! E vem me dizer que é boi!
A esta altura o boi, apavorado, pressentindo que ia virar um assado antes do tempo, começou a deitar pela boca uma espuma branca.
– Oh, mas que pena! – disse o Ladrão Quatro. – Parece que o seu cão está hidrófobo!
Depois desta, o gorducho não quis saber de mais nada: atirou a corda pra cima e saiu correndo mata afora antes que o buldogue raivoso o estraçalhasse.
Assim que o gorducho sumiu, os quatro ladrões se reuniram e passaram a faca no boi.
Ao que consta, estão carneando o bicho até hoje.

AVENTURAS DE PEDRO MALAZARTE
I

Pedro Malazarte é um personagem ladino. Ele emigrou da Espanha e de Portugal para o Brasil e acabou se aclimatando muito bem por aqui. É o rei da esperteza e continua popularíssimo por todo o interior do Brasil.

Certa feita, Pedro foi trabalhar em uma fazenda. O patrão gostava de arrancar, literalmente, o couro dos seus empregados. (Pedro tinha um irmão que voltara para casa sem uma tira de couro nas costas.)

Assim que Malazarte chegou à fazenda, o proprietário lhe deu uma cadelinha.

– Já viu, hein! Vá para a plantação e só volte para almoçar quando a cadelinha quiser!

Já eram duas da tarde e a cadelinha, esparramada na sombra, não fazia menção de se mexer, e a barriga de Malazarte roncando de fome. Então ele assobiou e apontou para a casa. A cadelinha abriu um bocejo de engolir o mundo. Depois, mastigou o ar três ou quatro vezes e recaiu na modorra.

– Já vi a tapeação! – disse Pedro, injuriado.

Tomando um pedaço de pau, ele aplicou uma lambada daquelas nos quartos da cadela. Como um raio, a bicha saiu ganindo e coxeando na direção da casa.

Pedro Malazarte apareceu, em seguida, na varanda do proprietário.

– Também quero comer – disse ele, sisudo.

O proprietário, refestelado à mesa, torceu o nariz e disse para Pedro ir à cozinha "se aviar com o que houvesse".

Malazarte raspou os restos das panelas e voltou à plantação com a cadela. Ali pelas oito da noite, quando até o sol já desmaiara de insolação, Pedro viu a cadela deitada de barriga para cima, sem dar a menor mostra de querer retornar.

Então ele a açoitou com o pau, outra vez, e a cadela voltou de olhos arregalados para casa.

Antes de deitar, Pedro foi comunicado da tarefa do dia seguinte.

– Já viu, hein! Amanhã vai limpar a roça de mandioca!

Malazarte pagou os pecados, mas limpou inteira a roça maldita.

– Está limpa, meu patrão – disse ele.

O fazendeiro fez cara feia e latiu outra ordem, que para isso ele era bom.

– Já viu, hein! Amanhã vai trazer o carroção carregado de pau sem nó!

Malazarte cortou todo o bananal, que é pau sem nó, e entregou tudo.

Então, no dia seguinte, o patrão mandou meter o carro de bois para dentro de um casebrezinho.

– Põe tudo lá dentro, mas vê lá, hein, sem passar pela porta!

O patrão era precavido. Antes de ir deitar tratou de passar a chave na porta do casebre, só para se garantir. Depois escondeu muito bem a chave.

Ao chegar ao casebre e ver que a porta estava sem jeito de abrir, Pedro tomou de um machado e foi pra cima da carroça e dos bois e picou tudo em pedaços. Depois foi até a janela e atirou parte por parte para dentro do casebre.

– Está tudo lá dentro, meu patrão – disse ele ao fazendeiro.

– Então prepare-se que amanhã, antes do sol, você vai à feira vender porco.

Neste ponto, o diabo roncou nas tripas de Malazarte, e ele decidiu que era hora de aprontar, também, pra cima do fazendeiro. Ao chegar à feira, cortou o rabo dos porcos antes de vendê-los. Depois, enterrou-os, às escondidas, num lamaçal, na propriedade do fazendeiro, e foi ter com ele.

– Acuda, senhor, que a porcada está atolada no barro!

O fazendeiro, apavorado, foi correndo salvar o prejuízo, enquanto Malazarte tomava emprestado dinheiro da caseira para comprar as pás para desenterrar a bichada.

– Dê-me logo, foi o patrão quem pediu! – disse ele.

O patrão arrancou da lama só o rabo dos porcos, e ficou certo de que o resto a terra comera. Ficou de cama três dias, consolado unicamente com o fato de que o desgosto, tirando-lhe o apetite, lhe diminuía também o prejuízo.

Malazarte aprontou outras para o patrão, e a cada dia era um novo prejuízo. Então, o patrão decidiu que o melhor era liquidar de uma vez com o patife.

– Um ladrão de rês anda por aí – disse ele a Malazarte. – Já viu, hein! Amanhã vou montar guarda no curral. À meia-noite em ponto, venha me substituir!

Na hora aprazada, Pedro, farejando a tocaia, correu até a esposa do fazendeiro.

– Rápido, seu marido a espera no curral. Leve este bacamarte, pois há ladrão por aí.

A velha tomou o bacamarte e se foi ao curral. Ao se aproximar do cercado, apanhou uma tal carga de chumbo e vidro moído pela cara que desabou morta por terra.

Neste instante, Malazarte surgiu, acusadoramente.

– Aqui! Acudam todos, que o patrão matou a esposa!

Toda gente correu para ver a desgraça. O proprietário, sentindo a corda da lei no pescoço, ofereceu um alforje cheio de dinheiro para Malazarte sumir e nunca mais falar nada a respeito.

E foi assim que Pedro Malazarte voltou rico para casa, e com toda a pele no corpo.

AVENTURAS DE PEDRO MALAZARTE
II

Malazarte andou às voltas com um urubu adivinho. Como tudo isso aconteceu, saberemos agora.

Andando pela roça, Pedro Malazarte topou, um dia, com um urubu todo machucado. Tinha uma asa partida, uma perna quebrada, e as penas no corpo contavam uma sim, outra não.

– Para algo ainda há de servir – disse ele, enfiando o bicho moribundo para dentro de um saco.

Pedro seguiu viagem até chegar, noite alta, a uma casa muito bonita.

– Ô, de casa, tem comida para um viajante? – disse ele, batendo palmas.

Uma mulher de rosto todo pintado surgiu no vão de uma persiana.

– Não tem comida nenhuma, dê o fora! – ralhou ela.

Malazarte subiu numa árvore e viu a mulher escondendo num armário várias travessas cheias de comida, além de quatro botijas de um vinho gostoso de fazer bico.

Malazarte desceu e voltou à carga, batendo palmas.

– Se não tem comida, dê-me abrigo.

– Eia, fora! Meu marido não está em casa! – disse ela, azeda. – Não hei de receber pela porta da frente um homem estranho, como uma desavergonhada!

Dali a pouco, chegou outro homem, todo embuçado. Este não era estranho e foi recebido pela porta dos fundos.

O jantar ia no auge quando o marido, chegando de repente, desceu do cavalo e entrou na casa. Assim que a porta da frente se fechou, a dos fundos se abriu e o visitante discreto sumiu.

Malazarte achou que era a hora certa para voltar a carga.

– Ó, meu senhor, dá-me comida!

Desta vez, ele foi levado condignamente até a sala de jantar. A comida que veio, porém, era uma lavagem de porco perto daquela que ele vira pela janela. Então, ao se lembrar do urubu, ele começou a cochichar algo com ele.

– Com quem o amigo conversa? – disse o dono da casa, revirando no prato o mingau fedorento.

– Oh, não é nada, não – disse Malazarte, indiferente. – É só um urubu adivinho.

– Urubu adivinho? Esta é forte! Nunca vi tal! Faça-o adivinhar algo!

Então Pedro cochichou com o bicho moribundo, que se remexeu dentro do saco, lançando um grasnido lamentável.

– Ele diz que dentro daquele armário há comida e bebida de deuses.

– Mulher, abra já esse armário! – ordenou o dono da casa.

Torcendo a boca de todas as formas, a altíssima dama escancarou os batentes e retirou a comida apetitosa com a qual ela e o visitante discreto haviam se refestelado um pouco antes.

– Ora viva, este urubu é realmente prodigioso! – disse o dono da casa.

Malazarte comeu e bebeu do bom e do melhor e, antes de se retirar, ainda vendeu o urubu profeta ao dono da casa por uma pequena fortuna.

Antes de partir, o urubu deu um silvo, e o dono da casa quis saber o que era.

– Ele acabou de profetizar a coisa mais importante da vida dele.

Malazarte picou a mula e, logo depois, o urubu deu o couro às varas, ou seja, morreu.

AVENTURAS DE PEDRO MALAZARTE
III

Mais duas trapaças famosas do Malazarte.

Na primeira, vinha ele por uma picada na mata quando viu um cocô daqueles depositado no chão. Homem atento aos sinais do universo, decidiu que ali havia um para ele, bem evidente.

Após tirar o chapéu, colocou-o em cima do negócio, como quem prende algo muito valioso, e assim esteve até ver avançar pela picada o primeiro bobo do dia.

O sujeito, bem vestido e com um ar simplório, aproximou-se, curioso.

– O que tem aí debaixo do chapéu?

Malazarte enterrou com mais força o chapéu, como quem tenta impedir a fuga de algo.

– Acabei de capturar o pássaro mais raro e valioso de todo o Brasil!

O sujeito sentiu água na boca.

– Não diga! Deixa eu ver!

– Não tem ver, nem meio ver! Quer que o bicho fuja?

– Vale muito, é?

– Pois não disse que é o pássaro mais raro do Brasil?

– Então eu o compro, agora, de você! Quanto quer?

Malazarte mirou na lua e pediu uma pequena fortuna.

– Fechado, passe a ave pra cá!

Malazarte recebeu o dinheiro e depois disse:

– Espere aqui. Vou comprar uma gaiola para que você possa levar o pássaro com segurança.

O homem ficou encantado.

– Oh, é muita gentileza! Eu fico aguardando!

Malazarte apertou bem os cadarços das botinas e deu as de vila-diogo, como se dizia pra lá de antigamente, que é o mesmo que dizer que se mandou para nunca mais aparecer.

O otário ficou um tempão de cócoras sob o sol, pressionando o chapéu contra o chão, mas, ao ver que o outro não retornava de jeito nenhum, decidiu levar a ave para casa na própria mão.

Erguendo muito de leve a aba do chapéu, ele introduziu a mão até tocar em algo.

– Ah, maganão, tenho-te preso! – disse ele, cerrando os cinco dedos ao redor da coisa.

Então sentiu, aterrorizado, que a coisa se esmigalhara toda, feito sabão.

– Mãe das corujas, esmaguei o bichinho!

E só ao retirar o chapéu foi que ele viu o cocô fedido que agarrara.

* * *

A segunda trapaça do Malazarte foi a seguinte.

Estava ele viajando pelo interior quando decidiu parar no caminho para saborear uma sopa de guisadinho com batata, coisa muito da sua predileção.

Depois de pegar sua velha panelinha, acendeu um fogo e mandou brasa na fervura. Não demorou muito e a sopa começou a borbulhar e a largar uma fumacinha branca de dar gosto.

Neste instante, aproximou-se um bando de matutos numa carroça. Ligeirinho, Malazarte desmanchou a fogueira até não restar qualquer vestígio de fogo. A panela, ainda fervente, ficou sobre o pó raso do chão.

Quando os matutos passaram e viram aquela panela fervendo sem fogo algum por baixo, deixaram cair os queixos de estupor.

– Ó, cumpadre, que panela herege é essa que cose sem fogo?

Malazarte continuou mexendo com a colher, espalhando a fumaça olorosa.

– É uma panela moderna, importada pelo mar – disse, com desdém.

– E como diacho cose sem fogo?

– É o metal. Largou coisa dentro, ele ferve por si.

Os matutos ficaram tão abismados que resolveram fazer uma oferta pela panela.

– E matuto lá tem fundos para pagar um brinco desses? – exclamou o Malazarte.

Os matutos retiraram dos bolsos os seus lenços de quadrados e começaram a palmear os níqueis, enquanto Malazarte bufava de desprezo.

– É escusado contar, que não paga nem a colher!

Então um deles, retirando dos ocultos da carroça uma canastra velha e carunchada, extraiu dela um embrulho cheio de notas verdes e graúdas.

– Vai entregar os guardados todos? – disse um dos matutos, coçando o cocuruto.

– Ó se vou! – disse o da canastra. – Uma panela dessas vale ouro, cumpadre!

O matuto pegou os maços de notas e mais os níqueis dos outros e despejou tudo aos pés de Malazarte.

– Aí tem dinheiro que chegue?

Malazarte deu uma olhada de esguelha e depois suspirou, como um mártir do mundo.

– Vá, é de vocês, mas só depois de eu terminar a minha sopa.

Quando não tinha mais um restinho de comida no fundo da panela, foi que ele entregou aos matutos a sua preciosidade.

– Adeus, e façam muito bom proveito!

Malazarte caiu na estrada e sumiu. Quanto aos matutos, estariam comendo comida crua até hoje se não tivessem se resignado, depois de infinitas tentativas, a meter umas brasinhas debaixo da panela.

O COELHO E A TARTARUGA

Um dos gêneros mais apreciados da literatura oral mundial é o da disputa de velocidade entre bichos ou gente. Pode-se dizer que a coisa vem desde as cavernas, não havendo parte alguma do mundo onde não se conte alguma variante da fábula que, também no Brasil, conheceu mais de uma versão.

Diz-se, pois, que o coelho, sem ter mais coisa para fazer, decidiu desafiar alguém para uma corrida. Como detestava perder, escolheu a dedo o seu adversário: a tartaruga.

Para sua surpresa, no entanto, a rival aceitou o negócio na hora.

– Quando quiser – disse ela, serena. – Eu vou pela trilha, e você pelo mato.

Ao ouvir isso, o coelho arreganhou os dentões de raiva e desconfiança.

– Ah, quer moleza, é? Pois só haverá corrida se eu for pela trilha, e você pelo mato!

– Pois seja – respondeu a tartaruga, aparentando grande contrariedade.

O coelho sorriu diante da sua primeira vitória. Mas, por via das dúvidas, decidiu comer uma porção extra de cenouras antes da competição.

Na manhã seguinte, quando chegou ao local do encontro, a tartaruga já o aguardava.

– Pensei que não vinha mais – disse ela, dando um bocejo.

O coelho, então, foi postar-se na trilha de chão batido, enquanto a tartaruga meteu-se no mato.

– Já! – gritou o desafiante.

O coelho correu como um raio pela trilha, levantando um pó de furacão. Quando já estava a mais da metade do percurso, olhou para o lado e gritou para dentro da mata:

– E aí, moleirona, onde está?

Uma voz de tartaruga, muito adiante dele, respondeu:

– Se apresse, dentuço! Mais um pouco e cruzo a linha!

Branco de terror, o coelho apertou o passo e correu como um raio. Quando faltavam alguns metros, viu um chacoalhar de arbustos, muito adiante, do outro lado da mata.

– Andou comendo cenoura demais, gorducho! – disse, outra vez, a mesma voz fanhosa.

Louco de pânico, o coelho criou asas nas patas até alcançar a linha de chegada. Quando se aproximava, porém, enxergou o vulto da tartaruga, lá do outro lado, encostada no marco e de perna trançada.

Derrotado e humilhado, só restou ao coelho abandonar a floresta para nunca mais aparecer.

Quando o coelho fanfarrão havia desaparecido, a tartaruga ergueu a voz, para trás, e saudou as sete outras amigas que, dispostas ao longo do percurso, haviam feito as vezes dela para o rival.

E aqui está como a tartaruga venceu o coelho sem sair do lugar.

O TOURO E O HOMEM

    Este conto possui várias versões mundo afora. Em vez do touro, como na versão que agora leremos, aparece, dependendo do lugar, o lobo, o leopardo, o tigre, o leão ou qualquer outro animal célebre pela sua força.
    Diz-se, então, que, certa feita, o touro, metido nas profundezas da floresta, só ouvia falar do homem e de suas proezas. Como não o conhecia, decidiu, um dia, tirar a prova da força de ambos.
    Depois de percorrer quilômetros dentro da mata, ganhou a estrada, afinal.
    – Muito bem, agora, certamente, haverei de deparar-me com um homem! – disse o touro, de ventas arreganhadas.
    Andou um pouco pela estrada até avistar um ser bípede e todo encurvado.
    – Este, certamente, não é um homem – disse o touro, avistando, na verdade, um pobre velho.
    Mas, por via das dúvidas, ele decidiu perguntar:
    – É você, porventura, um homem?
    O velho custou a erguer a cabeça e respondeu, batendo as gengivas:
    – Já fui um homem, mas há muito deixei de ser!
    O touro, cheio de desprezo pelo ex-homem, insistiu:
    – Então, diga-me onde posso encontrar um homem!
    – Siga adiante, eles estão por toda parte – disse o velho, desencantado.
    O touro empertigou-se e seguiu adiante até encontrar uma mulher feia e azeda.
    – Certamente que você não é o bicho homem! – disse o touro, com ironia.
    – Só se você for a vaca – disse a mulher, que não andava para graças.
    O touro fuzilou-a com um olhar irritado.
    – Diga logo onde encontro o bicho homem!
    – Siga adiante, chifrudo, e vai dar de focinho com uma dezena deles!
    Mais adiante, o touro deparou-se com um molecote.
    – É você o bicho homem? – disse, logo de cara, o touro.
    – Ainda não, mas serei em breve! – disse o moleque, estufando o peito.
    – Acontece que eu não tenho tempo para esperar – respondeu o touro, dando adeus.

Quando o touro já começava a achar que aquela história de bicho homem não passava de uma invenção, apareceu, finalmente, no fim da estrada, um bicho homem inteiro e acabado.

Algo no íntimo do touro lhe disse que encontrara o seu rival. Depois de firmar-se bem sobre as pernas e preparar os chifres para uma boa marrada, estava pronto para o confronto.

– Muito bem, fanfarrão! É você o bicho homem? – bufou ele.

O homem, que estava com um bacamarte na mão, olhou para o touro e confirmou:

– Decerto que sou o bicho homem. Por que quer saber?

– Porque quero que me prove, agora, que é o mais forte dos animais!

Ao escutar isso, o homem empinou o bacamarte e despejou uma carga de chumbo na cara do touro, que saiu correndo de volta para a mata com quantas pernas tinha.

Algum tempo se passou até que o touro se curasse das feridas. Então, recebeu a visita de uma comissão de animais para saber que coisa achara do tal bicho homem.

Apesar de tanto tempo passado, o touro não podia esconder o assombro que a lembrança do encontro ainda lhe causava.

– De fato, o bicho homem é o mais forte e temível dos animais! – gemeu ele.

Depois, mostrando as feridas na cara, acrescentou:

– Pois se só com um espirro me fez todo este estrago...!

O DECRETO DA PAZ

Diz-se, pois, que no tempo em que os animais ainda falavam, todos brigavam e se comiam ainda mais do que hoje, numa disputa perpétua.

Então, certo dia, o galo, do alto do seu poleiro, avistou a raposa aproximar-se. Ele já preparava-se para dar seu grito de alerta ao galinheiro quando a raposa, abanando a cauda, gritou:

– Não carece mais de alerta, compadre galo! O leão, rei da selva, acabou de promulgar um decreto estabelecendo a paz universal entre os bichos!

O galo não acreditou numa palavra e continuou limpando a garganta para abrir o berreiro.

– Vamos, compadre, desça daí e venha ler com seus próprios olhos! – insistiu a raposa. – Trago comigo uma cópia do maravilhoso decreto!

Mas a última coisa que o galo pensava em fazer era descer para ler o que quer que fosse ao lado da maior devoradora de galináceos.

– Vamos, compadre, não seja medroso! Acha, então, que eu seria louca a ponto de desrespeitar um decreto do rei dos animais?

Neste momento, o cão de guarda do galinheiro, um mastim do tamanho de uma onça, surgiu ninguém sabe de onde, de dentes arreganhados, numa corrida veloz para cima da raposa. Uma cachoeira de saliva se derramava pelos queixos do cãozarrão, o que obrigou a raposa a passar sebo nas quatro patas.

Ao ver a raposa fugir, o galo, do alto do poleiro, começou então a gritar e a rir:

– Não fuja, comadre raposa! Mostre ao cão o decreto!

E foi assim que furou-se o logro da raposa.

O ADIVINHO

Havia, pois, um sujeito que, cansado de passar necessidade, decidiu um dia fazer-se adivinho. Depois de se apresentar no palácio do rei e provar suas habilidades divinatórias, conseguiu tornar-se hóspede real. A partir daí, o sabichão passou a levar uma vida boa e cheia de regalos.

Certo dia, porém, o rei decidiu pôr à prova os dotes fabulosos do seu adivinho.

– Grande adivinho, preciso dos seus serviços! Algum miserável furtou a minha coroa real!

O adivinho ergueu-se do seu leito de sedas e, depois de envergar o seu manto estrelado e colocar sobre a cabeça o chapéu bicudo de mago, mandou reunir no salão real todos os criados do palácio.

Ao chegarem lá, depararam-se todos com uma pequena criatura colocada sobre um poleiro. Ela estava envolta num pano também estrelado.

– Aqui está o galo carijó de sua majestade – anunciou o adivinho, num tom cavernoso. – Doravante, cada um de vós deverá introduzir a mão por debaixo do manto e acariciar as costas do galo. Aquele que o fizer cantar será o culpado do furto da coroa.

Um a um, os criados foram alisar o galo. Cada vez que um deles introduzia a mão por debaixo do manto, o adivinho gritava algumas palavras extravagantes como estas:

– Carijó real, aponta o ladrão assim que o larápio meter-lhe a mão!

Ficaram nisso o dia inteiro, até que, encerradas as alisações, o adivinho mandou todos os criados estenderem a mão com a qual haviam alisado o carijó.

De todos os criados, apenas um não tinha a mão suja de fuligem.

– Muito bem, é este o ladrão – disse o mago ao rei, apontando o sujeito das mãos limpas.

Um oh! de assombro subiu até a abóbada do salão e desceu como um eco.

– Como fez para descobrir? – disse o rei, curiosíssimo.

– Muito simples, alteza. As costas do carijó estavam besuntadas de fuligem. Todos os que a alisaram ficaram com as mãos sujas, mas este, temendo ser denunciado, apenas fingiu alisá-la.

E foi assim que, pela primeira vez naquele reino, um ladrão teve a cabeça cortada por ter as mãos limpas.

O CASAMENTO DA MÃE-D'ÁGUA

Havia, pois, um pescador que de pescador, ultimamente, só tinha o nome, pois não conseguia levar para casa peixe algum. Então, certo dia, obstinando-se em derrotar a maré de azar, ele decidiu permanecer pescando noite adentro, até arrancar qualquer coisa que fosse das águas.

– Daqui só saio com um peixão de encher os olhos! – anunciou ele, lançando o anzol.

O sol se foi, a noite chegou, e nada de peixe, até que, de repente, lá pelas tantas da madrugada, um clarão se fez no mar e uma cantoria de mulher subiu harmoniosa das águas.

Aquilo tinha todo jeito de visagem, e o pescador se encolheu todo, dando quase para se esconder atrás do samburá vazio. Mas a cantoria não cessava, até que uma criatura esplendorosamente bela emergiu das águas e foi acomodar-se numa das pedras, um pouco depois da rebentação.

Bem, se o pescador queria algo de encher os olhos, realmente conseguiu o que queria, pois a criatura era realmente deslumbrante. Da cabeça à cintura ela era mulher, e da cintura para baixo era peixe.

O pescador, que não tinha mulher nem peixe, sentiu-se duplamente recompensado.

– Deus é mesmo maravilhoso! – disse ele, depois de blasfemar a noite toda.

De repente, a mulher-peixe mergulhou e o pescador entrou em pânico.

– Espere, volte...! – gritou ele.

Fez-se o silêncio, até que a cantoria recomeçou, desta vez bem próxima, a ponto de o pescador ficar meio hipnotizado. Ele entrou no mar, ficando com a água pela cintura, até que a mulher-peixe apareceu bem na sua frente. Com os cabelos molhados e o torso completamente nu, era uma visão de sonho ou de pesadelo deleitoso, o que acharem melhor.

– Quem é você? – balbuciou ele.

– Sou a Mãe-d'Água, e vou ensiná-lo a pescar – disse a sereia tupiniquim.

O pescador apanhou tanto peixe naquela noite que o samburá vergou de peso.

* * *

A partir daí, começou um romance entre o pescador e a Mãe-d'Água, que culminou num pedido de casamento.

– Sim, eu quero! – disse ela, donzela ingênua e sedenta dos prazeres do matrimônio.

– Você irá viver comigo? – perguntou o pescador.

– Está bem, vou viver em terra com você – disse ela, cedendo. – Mas imponho uma condição.

O pescador franziu a testa, pois era um tipo truculento.

– Só viverei com você enquanto não desfizer da minha gente do mar.

O pescador suspirou aliviado!

– É claro, jamais falarei mal da sua gente! – disse ele, esquecendo-se logo do que prometera.

A partir desse dia, os dois foram viver na cabana do pescador. Quando a Mãe-d'Água chegou ao "ninho de amor", entretanto, teve de fazer um esforço enorme para esconder a sua decepção.

"Que pobreza!", pensou ela, ao adentrar o casebre de duas peças.

Um mormaço sufocante pairava ali dentro. Não havia cama nem rede para deitar, só uma esteira atirada no chão batido. A mesa, por sua vez, nada mais era do que uma tábua comprida deitada sobre duas pilhas de tijolos. Dois latões vazios de óleo de cozinha, postos de cada lado da mesa, completavam a mobília.

Mas o que realmente a incomodara fora a mudança no caráter do esposo. Desde a chegada, ela percebera que os modos do galante pescador haviam se alterado radicalmente.

– Deite-se aí! Tem a esteira inteirinha dando sopa ali.

Iara aproximou-se cautelosamente da esteira toda desfiada. Quando estava a um passo dela, porém, retrocedeu instintivamente: uma lufada de urina seca explodira nas suas narinas rosadas como uma bofetada.

– Água e sabão têm por aí, peixinha. Trate de limpar a casa.

A Mãe-d'Água virou-se para o esposo, mas ele já saíra. E foi assim que começou o seu martírio terrestre.

* * *

O tempo passou, e o marido da sereia foi ficando cada vez mais grosseiro.

Já no segundo dia, o tratamento afetuoso mudou. O dia inteiro era um tal de "faça isso!" ou "faça aquilo!" que dava engulhos na pobre moça.

Dia após dia, a Mãe-d'Água, obrigada a viver naquela maloca junto com um homem tão grosseiro, foi perdendo todo o encanto pelo casamento.

– Então, é isto viver em terra? – dizia de si para si.

– O que está reclamando, agora? – perguntou o marido.

Ela desvencilhou-se, enojada, mas ele agarrou-a brutalmente.

– Escute aqui! Comigo não tem choradeira – disse ele.

"Onde está aquele pescador ingênuo e adorável?", pensou ela.

Então, ela decidiu que, quem sabe tornando o marido rico, pudesse torná-lo novamente gentil. Graças aos seus dons mágicos, as bênçãos começaram a chover sobre o casal, e logo eles estavam morando num palácio à beira-mar. Pena que ela tivesse de limpar sozinha todos os trezentos aposentos.

– Não vou pagar criada alguma tendo uma mulher em casa! – disse o pescador, com modos ainda piores do que os do tempo da penúria.

Então ela desesperou-se de tudo e, a partir daí, não fez mais outra coisa na vida senão postar-se, dia e noite, no janelão do palácio que dava para o mar e entoar seus cânticos aquáticos de saudade.

Infelizmente, as suas árias delicadas e pungentes só conseguiam irritar ainda mais o marido.

Um dia, finalmente, ela decidiu voltar para casa, custasse o que custasse.

* * *

A Mãe-d'Água sofreu muito nas mãos do marido ao comunicar o seu desejo, mas, perdendo todo o medo, resolveu enfrentá-lo.

– Não suporto mais esta vida em terra! Quero voltar para junto dos meus!

– O que quer junto dos peixes malditos?

Neste instante, um alívio abençoado desceu sobre a Mãe-d'Água. Ela estava finalmente liberta, pois o miserável acabara de maldizer os seus parentes do mar!

De repente, o céu ficou negro e uma onda medonha começou a formar-se na linha do horizonte. O pescador arregalou os olhos ao ver a massa d'água avançar na direção do palácio e, abandonando a esposa, correu como um alucinado para o morro mais alto.

As águas invadiram tudo, cobrindo o palácio dourado até o topo, e quando refluíram para dentro do mar arrastaram consigo a jovem sereia e o palácio inteiro, até a sua última pedra.

E foi assim que a Mãe-d'Água voltou a morar nos seus adorados domínios, enquanto o pescador voltou a ser um pobre-diabo azarado e solitário. Nunca mais conseguiu tirar coisa alguma do mar, nem mesmo as tatuíras da areia, que lhe escorriam ágeis pelos dedos, sem jamais deixarem-se agarrar.

OS TRÊS GIGANTES NEGROS

Além de ter deixado influência marcante nos cultos religiosos brasileiros, os africanos nos legaram também algumas lendas deliciosamente fantásticas, tal como esta dos três gigantes negros.

Havia, certa feita, por estes sertões, um velho com três filhas. Um dia, as jovens se encheram de viver ali e resolveram dar um lustro no mundo. Após percorrerem meio sertão, foram dar num lugar ermo e desconhecido; exaustas, entraram num casebre abandonado e ali ficaram para curar as bolhas dos pés.

Neste meio-tempo, chegaram também ao lugar três gigantes ferozes, os donos da tapera. Um deles tinha três olhos, o outro, dois, e o terceiro tinha apenas um olho. Ao perceberem que havia gente no casebre, quiseram logo saber quem eram as intrusas.

– Quem está aí? – disse o Gigante Três.

Ao ver o rosto do gigante, as jovens modularam três gritos perfeitos de histerismo.

Os gigantes, que estavam absolutamente calmos, disseram para elas também se acalmarem.

– Não lhes faremos mal – mentiu descaradamente o Gigante Dois.

Para comprovar a bondade deles, o Gigante Um lhes ofereceu uma bebida que matava qualquer sede. Neste instante, a mais jovem das moças lembrou-se do aviso que recebera, a meio caminho, de um pássaro.

– Não beba coisa alguma oferecida por gigantes horrendos!

Um aviso tão desnecessário, pensara ela, que se esquecera até de avisar as irmãs.

Acontece que as irmãs eram duas tolas e tomaram logo a beberagem. Resultado: as duas adormeceram. No mesmo instante, a jovem desperta, num ímpeto audaz, começou a entoar um cântico mágico africano que fez os gigantes fugirem com as mãos nos ouvidos.

Feliz com o triunfo, ela acordou as irmãs, e todas saíram correndo catinga afora.

Nem bem haviam começado a correr, porém, e já os três gigantes surgiram velozes atrás delas, como três montanhas negrejando ao sol.

– Corram! – disse a irmã mais jovem.

O problema é que não havia mais onde se refugiarem senão numa única árvore que conseguira resistir aos fragores escaldantes da seca.

— Subam! – disse a jovem.

As duas obedeceram, e logo as três estavam encarapitadas no topo. Graças à sua Mãe Oxum, as jovens descobriram, aliviadíssimas, que os gigantes não eram tão altos quanto a árvore na qual elas haviam trepado.

Então chegou, em primeiro lugar, o Gigante Três. Apesar de ter tantos olhos, ele não viu nenhuma das três fugitivas escondidas nas folhagens ralas.

— As desgraçadas fugiram! – disse ele, seguindo adiante.

O chão tremeu enquanto ele partia, e voltou a tremer logo em seguida com a chegada do segundo gigante. O Gigante Dois mirou bem seus dois olhos sobre a árvore, mas também não viu coisa alguma.

O chão tremeu, se acalmou e voltou a tremer outra vez com as pisadas do terceiro gigante. Este, que só tinha um olho para enxergar o óbvio, viu logo as três moçoilas escondidas na copa da árvore.

— A quem pensam que enganam? – rugiu ele. – Desçam já da árvore!

Elas não obedeceram, claro, nem teriam por quê.

— Desçam, covardes, e lutem como verdadeiras meninas! – gritou, agarrado ao tronco.

Sacando, então, de um machado, o gigante começou a golpear o tronco com fúria. As jovens chacoalharam no alto como bambus, mas nenhuma caiu.

— Canta! Canta de novo! – imploraram as irmãs.

Então a irmã cantora puxou da memória mais uma cantiga ancestral ioruba e cantou no ouvido do gigante.

Desta vez, porém, o grandalhão gostou e começou a acompanhá-la.

A coisa foi longe, e quando a cantoria começava a se tornar realmente insuportável, aquele mesmo pássaro que dera o alerta da beberagem surgiu dos céus e foi pousar na copa da árvore.

— Depressa, leve uma delas! – disse a irmã cantora, entre as pausas do seu canto.

O pássaro tomou no bico uma das irmãs e levou-a embora. Depois, voltou e levou, da mesma forma, a segunda irmã. Então, ao retornar para levar a irmã restante, o pássaro se transformou, subitamente, num lindo príncipe negro. Portando um alfanje, ele cortou fora a cabeça do gigante e tomou nos braços a jovem cantora.

O príncipe e a jovem casaram-se e foram eternamente felizes. Quanto ao que foi feito das irmãs e dos outros gigantes, isto ninguém jamais se preocupou em saber.

COBRA-NORATO

Certa vez, uma mulher ficou grávida do Boto, o mais famoso sedutor das águas paraenses. Um casal de gêmeos nasceu. Era um lindo casal, só que um casal de cobras d'água.

A mãe não quis saber deles e foi pedir instruções a um pajé.

– Eles são cria da Cobra-Grande! – disse ela, assustada.

O pajé, depois de consultar seus manes, disse que ela deveria abandoná-los às margens do Tocantins, e assim foi feito.

O tempo passou, e as cobrinhas gêmeas viraram duas cobras gigantes. Uma delas se chamava Honorato, ou simplesmente Norato, e era uma cobra macho boa e cordata. Sua irmã, porém, tornou-se má e vingativa, e graças ao seu gênio ruim foi chamada Maria Caninana (mal chamada, já que caninana, na língua tupi, quer dizer "cobra não venenosa").

Durante muito tempo, Cobra-Norato tentou demover a irmã da prática de maldades, mas ela não sabia fazer outra coisa senão afogar banhistas e afundar embarcações.

– Minha irmã, desta vez você passou dos limites! – disse-lhe Norato, certa feita, depois que ela fora bulir com uma cobra encantada que morava debaixo do altar de uma igreja em Óbidos.

Ela sabia que se a cobra saísse dali a igreja inteira ruiria. Mesmo assim, mexeu com ela e a cobra remexeu-se. Para felicidade das velhas beatas, a igreja não ruiu, mas ganhou uma rachadura de alto a baixo.

– Toma tento, encrenqueira! – disse Norato.

– Que tento, nem vento! Quem pensa que é? – silvou a Caninana.

Então Norato atracou-se com a irmã e, depois de uma luta titânica nas águas, matou-a.

Desde então, passou a haver apenas uma cobra sobrenatural no Tocantins, que era Cobra-Norato. Após estraçalhar a irmã, ele recuperou a alegria de viver, tendo adquirido até o hábito de fazer algumas visitinhas às aldeias próximas do rio, especialmente à noite, tal como seu pai Boto costumava fazer.

Cobra-Norato adorava dançar e, sempre que havia um baile, saía das águas para seduzir alguma moça ribeirinha. Ele tinha o dom de se transportar magicamente de um lugar para o outro, e era assim que podia ser visto, numa mesma noite, em quatro ou cinco lugares muito distantes.

Quando ele abandonava o rio para fazer suas incursões terrestres, costumava deixar nas margens a sua pele de cobra. De dentro dela surgia um rapaz belo e charmoso, irresistível às mocinhas.

Norato gostava tanto das suas surtidas noturnas que desejou tornar-se um ser humano como os outros. Havia, porém, um sortilégio que o impedia de abandonar as águas.

Certo dia, num baile, ele pediu a uma moça que quebrasse a maldição.

– É simples – disse ele. – Basta que você despeje algumas gotas de leite sobre a minha cabeça e depois dê um golpe sobre ela, o suficiente para tirar algumas gotas de sangue.

– Jamais poderia feri-lo! – disse ela, em prantos.

Norato, porém, arrastou-a até as margens do rio e teimou para que ela o livrasse do mal. Antes, porém, ele devia assumir sua forma original de cobra, e foi aí que tudo deu pra trás. Ao ver a cobra monstruosa, a pobre menina saiu correndo de volta para a cidade.

Norato, desconsolado, pediu a todo mundo que o livrasse da maldição, mas era sempre a mesma coisa. Nem mesmo a sua mãe tivera coragem o bastante para encarar o monstro e livrá-lo da maldição.

Certa feita, porém, durante uma das festas às quais ele compareceu, um soldado valente se prontificou a colocar um fim ao sortilégio do amigo.

O soldado acompanhou Norato até as margens do rio, levando consigo uma garrafa de leite e a sua inseparável espada.

– Pode vestir a pele! – disse ele, ao chegarem ao rio.

Norato entrou para dentro da pele e se transformou, outra vez, na temível cobra. O soldado ficou pálido como a lua, mas não recuou. Depois de abrir a garrafa, despejou algumas gotas de leite na cabeça da cobra e, em seguida, aplicou-lhe uma valente cutilada na cabeça. Algumas gotas minaram da ferida, misturando-se ao leite, e, como por mágica, Norato tornou-se definitivamente homem.

Desde então, o fabuloso Cobra-Norato deixou de ser cobra. O que foi feito dele depois, ninguém sabe. Há quem diga que virou soldado e foi servir no mesmo batalhão do amigo que o desencantou, mas isto deve ser patranha de algum caboclo malicioso.

A FESTA NO CÉU

Este conto é um dos mais famosos do gênero etiológico, ou seja, daquele que explica o porquê de as coisas serem como são. Apesar da sua fauna abundante sugerir um conto puramente brasileiro, é certo que se trata de fábula importada desde o mais longínquo Oriente. Esopo, Fedro, La Fontaine e quase todos os fabulistas do mundo recontaram esta lenda que pretende explicar a razão de o sapo – ou, dependendo da versão, a tartaruga ou o jabuti – ter o corpo cheio de remendos.

Diz-se, então, que, certa feita, anunciou-se uma festa no céu. Todas as aves foram convidadas, mas o sapo, ao saber da coisa, também quis ir.

– Você? – disse-lhe um grou, num tom de deboche. – E como pensa chegar ao céu?

O sapo piscou os olhos arregalados várias vezes, como quem é surpreendido por uma boa pergunta.

– Bem, eu dou um jeito – disse ele, deixando a questão para depois.

Mas que ele iria, iria.

No mesmo dia, o sapo foi visitar o urubu, que era o tocador de viola oficial dos bailes celestiais.

– Olá, compadre urubu – disse ele, saltitando.

– Como vai, compadre sapo? – respondeu o urubu, enquanto afinava a sua viola.

O urubu tirou alguns acordes, quase sem dar pela presença do amigo, e tornou a falar.

– É verdade o que andam dizendo por aí?

– Dizendo o quê?

– Que você vai à festa no céu.

– Sim, com toda a certeza.

O urubu dedilhou as cordas mais um pouco e não tocou mais no assunto. Dali a pouco, o sapo fez menção de partir.

– Bem, já vou indo para a festa.

– Já?! Um dia antes?

– Claro. Como não tenho asas, devo partir bem antes que os demais.

O sapo partiu, saltitando, enquanto o urubu ficou a sorrir de piedade.

– Coitado! Nem todos conseguem se conformar com suas limitações!

Verdade é que ele poderia ter ido além da comiseração e oferecido uma carona ao sapo. Mas isso seria uma amolação, afinal, e ele não era tão amigo do sapo assim para incomodar-se por ele.

Ao ver, então, que se livrara do sapo, o urubu levantou-se para ir fechar a casa. Nesse momento, porém, o sapo, que não tinha ido embora coisa nenhuma, retornou escondido e entrou de novo pelos fundos, indo meter-se ligeiro no interior da viola.

– Pronto, agora é ficar bem quietinho! – disse, encolhendo-se todo no fundo do instrumento.

Na manhã seguinte, o urubu levantou voo na direção do céu, levando a tiracolo a viola. O sapo fez toda a viagem ali dentro, sem se mexer, e foi assim que chegou ao céu junto com o amigo carniceiro.

Quando a festa ia começar, o urubu deu os primeiros acordes na viola e um ronco grotesco se fez ouvir de dentro do instrumento.

– Ora, mas eu afinei-a direitinho ontem à noite! – disse o urubu, desculpando-se.

– Esse tal de urubu já foi violeiro! Já foi...! – disse, de bico empinado, uma garça antipática.

O urubu fuzilou a garça com um olhar e, depois de afinar novamente, uma por uma, as dez cordas da viola, começou uma nova modinha.

– Coach! – fez algo no tampo, quebrando toda a harmonia dos acordes.

Um coro viperino de risos ecoou pelo céu.

Só então o sapo, surgindo por entre as cordas, fez a sua aparição triunfal.

O urubu, ferido no mais profundo da sua vaidade artística, sentiu ganas de estrangular o intruso nas cordas, e só não o fez porque o sapo foi muito bem recebido por todos.

Ah, ah, ah!, isto é que era ser engraçado!, diziam todos, vertendo lágrimas de riso, enquanto o urubu, de perna trançada, entortava o bico.

Quando tudo cessou, porém, a festa começou e se estendeu por todo o dia, entrando noite adentro. O baile foi um sucesso tremendo: todo mundo dançou, comeu, bebeu à vontade, até que, chegada a hora do encerramento, cada qual tratou de partir.

Quanto ao sapo, retornou do mesmo modo que viera, dentro da viola do urubu.

– Pode vir, amigão! – disse o violeiro, como quem já esquecera o mau gracejo.

Quando retornavam, porém, em pleno ar, o urubu tomou a viola e tocou alguns acordes, chacoalhando o instrumento com tanta força que o sapo saltou para fora, caindo no abismo.

O pobre sapo veio rebolando pelo ar até esborrachar-se nas pedras, partindo-se em vários pedaços. Diz-se, porém, que Deus ficou tão sentido com a sua sorte que rejuntou todas as partes, recosturando o couro por cima, e é por isto que o sapo tem, até hoje, a pele toda remendada.

O NEGRINHO DO PASTOREIO

Sem dúvida alguma, a lenda mais popular no extremo sul do Brasil ainda é a do Negrinho do Pastoreio, uma história triste e violenta.

O escritor gaúcho Simões Lopes Neto foi o maior divulgador da lenda, a qual reconta-se agora, em outras e inferiores palavras.

Havia, nos tempos idos, um estancieiro perverso que adorava maltratar os escravos. Na estância desse demônio, vivia um negrinho chamado simplesmente de Negrinho. Não tendo mãe nem pai, ninguém se lembrara de batizá-lo. Graças a isso, dizia-se que era afilhado de Nossa Senhora.

Certo dia, o estancieiro perverso resolveu organizar uma corrida de cavalos. O Negrinho, bom de cavalhadas, deveria conduzir o cavalo do patrão.

– Se perder a corrida já sabe! – ameaçou o estancieiro, mostrando-lhe o punho.

Deu-se, então, a corrida, e o Negrinho levou a pior.

Mas a pior, mesmo, ele ainda estava por levar. O estancieiro perverso havia perdido mil onças de ouro, e queria se vingar no menino.

– Esse tição me paga! – dizia ele, vibrando o relho no ar, em juras de ódio.

Nem bem o povaréu se espalhara ao redor dos espetos de carne gorda, o Negrinho viu-se amarrado numa estaca, na qual levou uma horrenda surra. Lá ficou a noite inteira, e só quando amanheceu foi retirado e levado a um pedaço ermo de campo.

– Vai ficar aqui pastoreando o gado durante trinta dias, pois trinta quadras tinha a cancha reta onde perdeu a corrida! – disse o patrão, deixando o Negrinho sob o sol escaldante, sob o granizo furioso, sob o frio enregelante, e sob tudo o que há de molesto na mãe natureza.

Durante as noites, o Negrinho provava outra colherada cheia do inferno: cercado por corujas, onças, lobos, javalis ou outros bichos que havia então pelos pampas, só encontrava algum sossego ao lembrar da sua Madrinha, e aí adormecia com um sorriso nos lábios.

E foi justo numa dessas pausas do sofrimento que a sua ruína se completou: um bando de ladrões de gado, aproveitando o sono do pequeno vigia, levou consigo todo o gado.

Não é preciso dizer que, no dia seguinte, o Negrinho provou outra surra daquelas.

– Agora vai procurar o gado que deixou levarem! – disse o patrão, mandando-o, noite fechada, para os campos abertos.

O Negrinho passou antes na capelinha da sua Virgem Madrinha e levou uma vela para alumiar os caminhos. Enquanto avançava pelos campos, deixava cair um pouco da cera incandescente. Os pingos ficavam queimando pelo chão, como pirilampos, enquanto ele avançava.

Então, de tanto avançar, ele finalmente achou o campo do pastoreio. O gado estava lá, e ele se deitou para dormir, agradecendo à Madrinha Celeste. No meio da noite, no entanto, o filho do estancieiro, um rapaz ainda pior do que o pai, veio de mansinho e espantou, outra vez, os animais.

O laço cantou de novo, e desta vez o Negrinho não resistiu e morreu.

A coisa toda se deu em campo aberto, e o patrão desgraçado achou que o Negrinho não merecia nem mesmo uma cova.

– Atire-o ali no formigueiro! – disse ao filho.

O corpo do Negrinho foi posto sobre o formigueiro, e as formigas caíram em cima, comendo tudo.

Quando chegou em casa, o estancieiro sonhou que ele era mil estancieiros, e que tinha mil filhos, e mil negrinhos para maltratar, e mil mil onças de ouro para gastar em bobagens.

Durante três noites, o estancieiro sonhou o mesmo sonho. Então, na terceira noite, tomado pelo remorso – ou pelo medo de ser descoberto –, resolveu voltar ao formigueiro para ver se as formigas haviam comido todo o corpo. Ao chegar lá, porém, deparou-se com a figura do Negrinho, em pé sobre o formigueiro, são e sem marca alguma de ferida. Ao seu lado, estava a sua Santa Madrinha, toda serena e fosforescendo em azul. Os bichos perdidos também estavam todos ali.

O estancieiro caiu de joelhos e mãos postas, arrependido, mas o que ele sentia mesmo era um medo terrível de que algum castigo caísse sobre si.

Enquanto o estancieiro se enchia de medo, o Negrinho montou, em pelo, em cima de um dos cavalos e saiu a tocar alegremente a tropa pelas coxilhas.

A partir daquele dia, o Negrinho passou a ser chamado de Negrinho do Pastoreio. Encarregado de encontrar coisas perdidas, ele faz a busca de bom grado, mas sempre pedindo uma vela para a sua madrinha.

O QUERO-QUERO

Pássaro típico do Rio Grande do Sul, o quero-quero desfruta da mais ampla simpatia e consideração dos gaúchos, apesar do papel ingrato que lhe coube na lenda que explica a razão de possuir este nome.

Diz-se, pois, que, durante a fuga da Sagrada Família do Egito, José e Maria foram buscar refúgio num oásis, em pleno deserto. Enquanto descansava, Maria pediu aos pássaros do oásis que fizessem silêncio, a fim de não atraírem a atenção dos seus perseguidores.

– Silêncio, avezinhas! – disse ela, com o dedo nos lábios.

Maria tinha nos braços o Divino Bebê, enquanto seu esposo, José, vigiava tudo com olhos de águia. Diante do seu divino pedido, todas as aves foram silenciando o seu canto, uma a uma, até que só restou o canto ensurdecedor de uma única ave.

– Por favor, avezinha! – insistiu Maria. – Quer que os soldados de Herodes nos encontrem?

– Quero! Quero! – continuou a ave a berrar, a plenos pulmões.

José avistou, então, um grupo de soldados avançando na sua direção e deu um jeito de esconder Maria e o bebê atrás dumas folhagens.

Os soldados de Herodes chegaram e começaram a investigar o lugar. Porém, como estavam exaustos demais, preferiram parar as buscas e banhar-se nas águas de um pequeno córrego que passava pelo oásis. Enquanto isso, o pássaro não dava trégua, um segundo, no seu canto.

Organizou-se uma caçada à ave, mas ninguém conseguiu espantá-la. Por fim, tanto ela incomodou que os soldados resolveram partir.

Quando eles desapareceram, a Virgem lançou, então, esta maldição ao pássaro berrador:

– Por quase teres provocado a morte do Divino Redentor, o teu canto será, para sempre, o mesmo!

E desde então a ave teimosa não faz outra coisa senão repetir o seu perpétuo refrão:

– Quero-quero! Quero-quero!

O PULO DO GATO

O conto que encerra esta pequena coletânea da narrativa oral brasileira é, sem dúvida alguma, uma das fábulas mais engenhosas que o espírito humano já concebeu. Ela conta como o gato ensinou, certo dia, o cachorro a pular.

Estava, pois, o gato a descansar quando o seu eterno rival, o cachorro, apareceu.

– Lá vem você de novo! – disse o bichano, mostrando as unhas.

– Calma! – disse o cão, tentando acalmar o gato.

– Diga logo o que quer e desapareça!

O cão fez uma careta implorativa e disse:

– Não brigue comigo, velho amigo, pois vim estabelecer uma paz definitiva entre nós.

O bichano acinzentado moveu a cabeça para o lado, descrente.

– É sério! E como prova da minha amizade, prometo ensinar-lhe todas as habilidades de um cão!

– E quem disse que eu quero aprender algo de você?

Mas o cão conseguiu convencer o antigo rival de que tinha, de fato, muita coisa a lhe ensinar, e ministrou-lhe algumas lições utilíssimas.

Diante disso, o gato consentiu em ensinar ao cão, também, algumas de suas habilidades.

– Quero apenas que me ensine a pular! – disse o cão, esperançoso.

– Muito bem, conheço todos os pulos da floresta – disse o gato, de boa vontade.

O gato passou o dia todo ensinando ao cão todos os pulos possíveis, de todos os animais da floresta.

– Bem, é isto – disse ele, depois de ensinar o último pulo.

Neste instante o cão arreganhou os dentes e, depois de escolher o pulo mais veloz aprendido, mergulhou na direção do gato. Este, porém, saltou para o alto feito uma mola de pelos, fez uma espetacular acrobacia aérea e foi pousar, são e salvo, muito longe do cão.

– Seu tratante! – ralhou o cachorro. – Este pulo você não me ensinou!

Então o gato, empertigando-se todo, explicou:

– Este é o pulo do gato, bobão. Este eu não ensino a ninguém.

PARTE III

PERFIS

ALAMOA

A Alamoa é uma adorável princesa-fantasma que habita, desde tempos imemoriais, as grutas do litoral de Fernando de Noronha. É assim chamada porque, no entendimento do povo, ela é loira como uma alemã.

Pelo simples detalhe do nome, vê-se logo que se trata de um mito importado. Princesas loiras que vivem encantadas na entrada de cavernas ermas e quase inacessíveis são comuns no folclore, em especial o europeu.

Quando o tempo está para tempestade, ela abandona a gruta e vai dançar nua nas areias da praia, a fim de atrair a atenção dos matutos. Não demora muito e a primeira vítima se apresenta, vencida não tanto pelos dotes artísticos da jovem quanto por sua enorme beleza.

Espécie de Iara sedutora, a Alamoa também costuma levar a desgraça aos seus apaixonados. Sob o pretexto de desenterrar um tesouro escondido na mais alta das grutas, ela os conduz até a entrada, como se estivessem hipnotizados.

Uma vez no interior da gruta, o incauto vê o corpo da Alamoa se derreter diante dos seus olhos, restando apenas uma caveira de dentes arreganhados. Com uma risada tétrica, a demônia arrasta, então, o caboclo desgraçado para as profundezas da caverna, onde a morte ou uma ronda perpétua de torturas selvagens o aguarda.

Na próxima tempestade, a Alamoa, reconstituída em toda a sua beleza, volta a executar nas areias da praia o seu chamado sedutor.

ALMA-DE-GATO

Entidade quase abstrata do nosso folclore, este Alma-de-Gato originou-se nos arredores do Rio Grande do Norte e da Paraíba. Os terrores que ele espalhava nos tempos antigos, especialmente entre a criançada, operavam-se quase que exclusivamente pela força sugestiva do seu nome, já que jamais se deixava avistar.

Ao longo dos anos, porém, ele acabou associado à figura do gato, geralmente de cor preta.

Em se tratando de qualquer mito brasílico, porém, há sempre uma ave nas redondezas para explicá-lo, pois a floresta, desde sempre, foi viveiro natural de mitos.

A ave que, segundo alguns estudiosos, originou o Alma-de-Gato seria uma certa Tinguaçu – literalmente, "Bico-Grande" –, ave de mau agouro famosa por dar origem, depois de morta, a uma planta capaz de conceder o dom da invisibilidade a quem mascasse uma das suas folhas.

Mas que coisas terríveis faz, afinal, este Alma-de-Gato?

Concretamente, nada. O Alma-de-Gato opera de modo exclusivamente psicológico, não existindo nenhum relato acerca dos atos que comete ou dos fins que ele busca. O máximo que alguma imaginação infantil exacerbada conseguiu até hoje foi entrever-lhe o vulto, escuro como o de todos os vultos, e um par de olhos a ofuscarem no meio da noite. Porém, ação concreta, nenhuma.

O Alma-de-Gato, dizem todos os seus estudiosos, não sequestra crianças nem tampouco as devora. Não existe relato algum de violência cometida contra quem quer que seja. No entanto, nossos moleques interioranos continuam a votar-lhe um medo sistemático, diante do anúncio vago de sua presença – uma presença que, de tão sutil, é quase uma ausência.

ANHANGÁ

Entidade sobrenatural dos silvícolas que os jesuítas elevaram à condição de Diabo, o Anhangá é um dos espíritos mais temidos pelos índios. Rival de Jurupari, o espírito dos pesadelos, a quem os jesuítas também aplicaram a pecha de demônio, este Anhangá (ou *Anhanga*, sem acento) era, na verdade, o espírito da caça das florestas amazônicas, e só metia medo mesmo nos desafetos das matas.

Sua figura é garbosa, apresentando-se sob a forma de um cervo branco de olhos em brasa, com o detalhe dos chifres cobertos de pelos. Ao que parece, os catequistas também deram um toque piedoso na sua figura, já que, em algum momento, o cervo passou a possuir uma cruz bem no meio da testa (de qualquer modo, algo estranho na testa de um demônio). Apesar da sua bela aparência, não é muito aconselhável tentar avistar o Anhangá, pois diz-se que a simples visão deste cervo fantasma é o bastante para deixar uma pessoa louca. E se alguém, ainda assim, pretender caçá-lo, é melhor esquecer: o Anhangá é uma criatura tão segura de si que, em vez de fugir do cano de uma espingarda, põe-se a mastigá-lo tranquilamente, como se fosse cana de açúcar.

Segundo os melhores estudiosos, o Anhangá cervo, considerado como nume protetor da floresta, foi confundido com outro ser de mesmo nome, associado às assombrações e aos malefícios.

Repetiu-se, deste modo, nas Américas, a mesma metamorfose ocorrida nas florestas da velha Europa pagã, quando Cernunos e outras divindades pré-cristãs, também dotadas de chifres, passaram a encarnar, no imaginário cristão, o Diabo. Aqui não foi diferente, e os próprios índios, fascinados mais pelo medo do que pela beleza, passaram a privilegiar a história que aponta Anhangá como uma versão cabocla de Satanás, relegando o cervo branco a um segundo e indigno plano.

Mas o legítimo Anhangá continuará a ser sempre o cervo guardião das florestas.

BOITATÁ

Chamado muitas vezes de Mboitatá, esta criatura é outro dos personagens obrigatórios de qualquer coletânea fantástico-zoológica do Brasil.

Apesar do nome, o Boitatá nada tem a ver com bois, mas com uma cobra transparente que irradia uma luz ofuscante nas noites tristes das matas brasileiras (isto não impediu, porém, que ele fosse descrito como um touro de olhos coruscantes, constituindo este um dos exemplos mais curiosos do poder de mutação operado pelas palavras). Felizmente, mesmo aqui, há limites: no Nordeste, embora sendo chamado de Batatão, ninguém ainda se lembrou de lhe dar uma conformação de batata.

Boitatá significa "Coisa de fogo", em razão do fogo que dele emana, constituindo-se o animal, na verdade, numa representação figurada do fogo-fátuo. Também é identificado – ou confundido – com a Boiúna e a Cobra-Grande, mitos aquáticos assemelhados.

Apesar dos fogos-fátuos existirem em todo o mundo, o Boitatá original resistiu relativamente bem ao assédio da influência europeia, permanecendo sem conformação física ou psicológica humana alguma. Ele é uma cobra – ou, mais exatamente, um espectro de cobra –, cuja função única é a de comer e atemorizar.

Somente quando o mito abandona as matas, ganhando as cidades, é que o Boitatá começa a degenerar em sua pureza, recebendo adendos extravagantes, importados dos mais diversos fabulários (mas que, mesmo neste caso, não foram suficientes para desfigurá-lo completamente).

O Boitatá, dizem, alimenta-se somente dos olhos das suas vítimas, a ponto de o seu corpo translúcido ficar repleto de olhos chamejantes. Para escapar à sua fúria, o corajoso deve munir-se de uma boa dose de sangue-frio: permanecer parado e de olhos fechados é o que basta para fazer a serpente se desinteressar dele. Se não funcionar, sugere-se a tática mais rude de arremessar-lhe um objeto de ferro.

Indo adiante a deturpação, chegou-se, enfim, às mutações com propósitos morais e ecológicos: o Boitatá transforma-se, dizem, num pedaço ardente de madeira a fim de punir os agressores das matas.

Apesar de tudo isso, podemos nos dar por felizes pelo fato de ninguém, no fim das contas, ter conseguido transformar o Boitatá em mais um sátiro das águas, como sucedeu ao Boto, ou numa sereia suspirante, como sucedeu à Cobra-Grande, rebatizada de "Iara".

BOTO

O Boto é uma espécie de golfinho que, segundo a lenda amazônica, nas noites quentes sai da sua morada aquática para ir seduzir, nos bailes ribeirinhos, as mulheres incautas.

Assim como a Iara, o Boto é uma das nossas lendas mais populares e, ao mesmo tempo, menos autenticamente indígenas. Praticamente o único traço a restar do mito original é o fato de a criatura emergir fantasticamente das águas para entrar em contato direto e terreno com os homens – ou, mais exatamente, com as mulheres. (Se fosse uma lenda autenticamente indígena, sem mescla de corrupção, o Boto sairia das águas simplesmente para devorar e espalhar a devastação, sem recorrer aos estratagemas sensuais importados e típicos das raças vestidas.)

A exemplo da Cobra-Norato – outra deturpação do mito da Cobra-Grande –, o Boto, despindo-se de sua aparência aquática, transforma-se magicamente num galante sedutor, trajado de branco e com um chapéu do qual jamais se desfaz (artefato imprescindível para esconder o orifício de respiração que o homem-golfinho possui no topo da cabeça). Seu único objetivo, uma vez fora do seu elemento, é seduzir as moças e engravidá-las, gerando uma estirpe da qual se ignora o resultado final (não sabemos se os filhos herdam as características do pai ou se nascem e morrem como humanos quaisquer).

O olho seco do boto-tucuxi é usado até hoje como talismã para atrair o amor das mulheres que se recusam a cair na lábia dos homens despidos de qualquer encanto.

BRADADOR

O Bradador pertence à mesma espécie quase abstrata do Alma-de-Gato ou do Pé de garrafa, sendo conhecido apenas pela verdadeira paixão que nutre pelo escândalo.

De fato, nenhuma outra criatura do nosso folclore personifica melhor esse traço espalhafatoso dos nossos entes sobrenaturais do que esse personagem habitante do Centro-Sul do Brasil.

Espécie anômala de assombração – já que, segundo a boa doutrina, não se trata de um fantasma –, o Bradador, mesmo assim, costuma fazer suas aparições à meia-noite em ponto de todas as sextas-feiras. Só que, em vez de arrastar-se em silêncio, prefere lançar-se numa correria desatinada, ao mesmo tempo em que berra feito um doido varrido.

Desde o instante em que o Bradador começa a sua ronda histérica, criatura nenhuma consegue mais dormir, gente ou animal, devido à estridência dos seus gritos.

A questão de o Bradador ser ou não uma alma penada parece estar resolvida a partir do momento em que se busca a sua origem. Segundo a maioria dos estudiosos, o Bradador origina-se, em regra, do corpo mumificado de algum cadáver incorrupto, sendo, por isto mesmo, chamado também de "corpo-seco". Tratar-se-ia, pois, de um corpo andante, como os zumbis haitianos ou as múmias egípcias, e não de uma alma penada, que é um ser sutil e incorpóreo.

O folclorista paranaense Francisco Leite afirma ter visto, em sua juventude, uma dessas múmias desenterrada e encostada num pé de imbuia, "a completar o seu fado material sobre o solo". (Se viu mesmo, deve ter sido durante o dia, enquanto ela dormia, pois é consenso absoluto entre os estudiosos que a simples visão do Bradador acarreta a morte imediata do enxerido.)

A exemplo da Cabra-Cabriola, este mito parece também ter sido importado, embora seja difícil imaginar um lugar da Terra onde não possa vicejar, espontaneamente, um parente qualquer da espécie. Em Portugal, por exemplo, existe uma versão feminina do nosso Bradador, a Zorra Berradeira, uma criatura possivelmente dez vezes mais escandalosa. No Vale do São Francisco, temos o Gritador.

BRUXA

Personagem onipresente em todos os recantos assombrados do mundo, a bruxa, no Brasil, também conheceu uma próspera divulgação. Modelo do qual partem todas as suas parentas – das quais, por aqui, a Cuca parece ser a mais famosa –, de modo geral ela surge com o aspecto clássico da velha horrenda trajada de negro, o nariz comprido com verruga na ponta, olhos remelentos, vassoura em punho, o gato preto ao pé, o caldeirão fumegante etc.

Esta, porém, é a bruxa clássica europeia. A nossa tem alguns adendos particulares desconhecidos da maioria das pessoas.

Nem todos sabem, por exemplo, que a bruxa tem o poder de se transformar em coruja, morcego, ou mesmo em uma mariposa negra. Poucos de nós sabem, também, que a sétima filha de sete irmãs está fadada a ser bruxa. Também é parcamente sabido – especialmente nas regiões urbanas, lamentavelmente desinformadas destas questões transcendentes – que a bruxa tem o poder de se infiltrar nas menores frestas, não adiantando, por isso, passar a chave na porta sem meter algodão nas frinchas.

Crianças de até sete anos que ainda não receberam o batismo são um dos alvos prediletos dessa criatura nojenta, pois ela adora sorver o sangue de bebê pagão.

Segundo a crendice, há uma maneira infalível de se identificar uma bruxa: se ela cumprimentar sempre com a mão esquerda, podemos estar certos de se tratar de uma das concubinas do Diabo, mesmo que a criatura se apresente com uma adorável aparência.

No norte do Brasil, não se diz bruxa, mas "feiticeira", o que não diminui em nada a sua periculosidade. Felizmente, por lá, não acontecem os famosos sabás noturnos, nos quais as bruxas, montadas nuas sobre vassouras, cruzam os céus, tendo ao fundo a silhueta prateada da lua.

Para defender-se da bruxa, os estudiosos indicam uma série de talismãs. A estrela de cinco ou seis pontas, as palhas secas do Domingo de Ramos, postas em cruz, ou então um molho de fios, que a bruxa não pode deixar de contar antes de operar os seus males, são os mais lembrados. Muito útil, também, é espalhar facas ou tesouras abertas, além de punhados de sal, por toda a casa.

CABEÇA DE CUIA

No Piauí, tem origem uma criatura bastante original. O ente terrificante se chama Cabeça de Cuia e tem feito o terror de muitos nadadores piauienses.

Um dos seus traços mais marcantes é a onipresença do número 7 na sua biografia. Este número parece estar ligado ao seu destino como uma maldição babilônica.

Mas onde, exatamente, habita este monstro do Piauí?

Ele se esconde nas águas do rio Parnaíba, e foi parar ali depois de ter maltratado a própria mãe. Ela o amaldiçoou, obrigando-o a passar 49 anos seguidos (7x7) dentro do rio, como se peixe fosse.

O Cabeça de Cuia é magérrimo, tem o cabelo escorrido na testa e sua cabeça tem a forma, evidentemente, de uma cuia. Ele chega mansamente, como quem não quer nada, e puxa repentinamente para as profundezas o matuto desprevenido que estiver, então, se banhando.

Diz a lenda que de sete em sete anos ele tem de comer uma moça virgem chamada Maria. Quando não aparece nenhuma, ele se contenta em pescar qualquer um que estiver por ali.

Quando tiver comido suas sete Marias, afirmam os entendidos, o encanto se desfará e o Cabeça de Cuia voltará a ser um moço estudioso e filho exemplar.

CABRA-CABRIOLA

Com este nome que soa vagamente a uma inocente cantiga de roda, podemos, na verdade, identificar uma das criaturas mais violentas e repulsivas do nosso folclore.

Importada, ao que parece, a Cabra-Cabriola aclimatou-se melhor no Nordeste, onde começou a empreender o seu reinado de terror.

Como o próprio nome diz, a Cabra-Cabriola é um ser monstruoso que adora cabriolar, ou seja, dar saltos e requebros. Por outro lado, ao menos no Brasil, ela não possui qualquer feição ingenuamente caprina, uma vez que sua cara se destaca, acima de tudo, pela presença de uma série afiadíssima de dentes e de um par de olhos chamejantes. Sua boca e suas narinas também expelem fogo e fuligem.

Seu alimento predileto são as crianças, e não só as desobedientes. À noite ela gosta de espreitar a casa onde as mães, por alguma razão, estão ausentes e, por meio de estratagemas solertes como o de imitar a voz das mesmas, induz as crianças a abrirem a porta. Uma vez conseguido o intento, a criatura invade a casa aos berros, só restando às suas pequenas vítimas pularem pelas janelas ou invocarem o auxílio do seu anjo da guarda.

* * *

Conta-se que, certa feita, a Cabra-Cabriola estava à espreita para mais um ataque nas redondezas de uma casa onde uma mãe devia sair à noite para trabalhar.

A mulher saiu, afinal, e a criatura nefasta esperou algumas horas antes de ir à porta pedir às crianças que abrissem.

– Abram, filhinhos! Sou eu, a sua querida mamãe! – disse a Cabra.

Como, no entanto, não tivesse tido o cuidado de disfarçar a voz, viu-se logo expulsa pelos gritos das crianças dentro da casa.

– Fora, Cabra maldita! Bem sabemos que não é a nossa querida mamãe!

No dia seguinte, a criatura infernal procurou um ferreiro e mandou martelar a sua língua até ela ganhar uma compleição mais maleável, capaz de reproduzir a maviosa voz da mãe das crianças.

Na mesma noite, ela retornou às cercanias da casa e, depois de a mulher sair e um bom pedaço da noite ter transcorrido, foi bater outra vez à porta.

– Abram, filhinhos! Sou eu, a sua querida mamãe!

Desta vez, a sua voz soou tão perfeitamente materna e feminil que as pobres crianças, sem atentarem para a figura de quem lhes falava, escancararam a porta, aliviadas.

Mas quem ficou aliviada mesmo foi a Cabra-Cabriola, ao ver-se senhora da situação. E o final terrível, digno dos irmãos Grimm, é mais uma prova segura da importação do mito.

CACHORRA DA PALMEIRA

Que o padre Cícero espalha bênçãos por todo o Nordeste, é sabido de todos. Mas, como em todas as coisas sagradas, há nele, também, um lado perigoso, com o qual não convém mexer.

Ora, certa feita uma jovem resolveu brincar com ele e acabou mal.

A coisa se deu algumas semanas depois do passamento do santo padre do sertão. Uma jovem acabara de ver morrer sua cachorrinha e andava muito chateada quando uma velha beata, ainda inconsolável com a morte do seu mentor espiritual, travou uma conversa com ela. A senhora estava trajando luto e, questionada pela jovem da razão daquilo, disse, muito indignada:

– Ora, por quê! Estou de luto pela morte do meu Padre Cícero Romão Batista!

Então a jovem, meio debicando, retrucou:
– Pois deveria botar luto era pela minha cachorrinha!

Dizem que, no mesmo instante, a pobre criatura virou cadela e saiu, feito doida, a correr pelo sertão.

Dizem alguns estudiosos que seu irmão conseguiu capturá-la e que até hoje ela vive enjaulada. Presa noite e dia, passa o tempo latindo e uivando, sem comer nada feito em panela (sabe-se lá a razão), mas somente carne de cabrito novo, isto quando não rói os próprios ossos.

Esta assombração é coisa relativamente recente nos anais do nosso folclore: data de 1934 e tem se mantido com razoável saúde na crônica assombrosa do Nordeste, a julgar-se pelo número de poemas de cordel que circulam sobre o tema, em todas as feiras nordestinas.

A Cachorra da Palmeira é um mito que versa, ao mesmo tempo, sobre o tabu religioso e o preconceito moral, já que a cadela remete, especialmente nos sertões nordestinos, à prostituta.

CAIPORA

Para muitos estudiosos, o Caipora (ou Caapora) é uma simples derivação do Curupira. Pertencente à mesma classe dos entes protetores da floresta – mais exatamente, da caça –, ele desenvolveu, contudo, um tipo próprio bastante diferenciado do Curupira: enquanto este se apresenta como um moleque franzino e de pés invertidos, o Caipora toma a figura de um brutamontes com o corpo coberto de pelos e montado num gigantesco porco-do-mato. (No Nordeste, porém, o Caipora tem o aspecto de um indiozinho perneta, havendo aqui uma curiosa fusão do Saci e do Curupira.)

Caapora, em tupi, significa "habitante do mato", denominação fiel deste ser que, nos primórdios da colonização portuguesa, foi ignorado pelos jesuítas, tão hábeis em recensear os mil disfarces de que se valeu o Diabo para introduzir-se nas matas brasileiras. O máximo que, naqueles dias, se pôde evocar dele foi uma espécie de espectro silvestre e sem forma, sem nada que lembre a espetaculosidade de homens peludos cavalgando javalis ou porcos gigantes.

Em algumas regiões, o Caipora troca de sexo, e passa a ser "a" Caipora, uma mulher, também protetora da caça, mas que não se furta a entrar em intimidades com os caçadores, chegando a praticar sexo livremente com eles. Depois que o romance engata, porém, ela se torna ciumenta e possessiva, capaz de punir a menor traição com uma surra letal de cipó espinhento.

Assim como o seu confrade masculino, a Caipora tem o hábito de cavalgar porcos e ressuscitar a caça abatida. (Conta-se que, certa feita, um grupo de caçadores estava assando um tatu na mata quando a Caipora, passando de repente, montada num porco, deu o grito: "Vambora, João!", e o tatu, tostado e sem vísceras, pulou agilmente do espeto e saiu-lhe no encalço, vivinho da silva.)

Apesar de o Curupira ser popular no Rio Grande do Sul, nem por isso o escritor gaúcho Simões Lopes Neto deixou de mencionar, também, o "homem agigantado", dando-nos o conhecimento de que a versão expandida do Curupira, após percorrer todo o Brasil, chegou a alcançar o extremo sul.

A expressão "caipora" como sinônimo de azarado provém deste personagem. Dizia-se antigamente de todo caçador infeliz na caça que ele "estava com o Caipora", e que todo aquele que se encontrava com o ser monstruoso estava votado, a partir de então, a fracassar em toda coisa que intentasse.

CAPELOBO

O Capelobo é uma mistura grotesca de quase todos os monstros do nosso folclore.

Ele tem origem no Pará e no Maranhão. No rio Xingu, a sua fama está tão arraigada que quase não há índio vivo que não lhe guarde o medo mais profundo. A explicação, decerto, está na crença de que todo índio, depois de muito velho, termina se transformando neste ente bizarro.

Capelobo quer dizer "lobo torto", um lobo fora do esquadro, e é o que ele parece justamente ser com a sua conformação esdrúxula. Sua forma varia conforme o local da sua aparição. No Maranhão, além de ter o nome ligeiramente alterado (ali ele se chama *Cupelobo*), ele possui um focinho de tamanduá, ao contrário das outras regiões, onde se apresenta com o focinho de uma anta ou de um cachorro.

O restante do seu corpo também está envolto em controvérsias: enquanto, para alguns, ele possui o corpo de uma anta, para outros possui um corpo semelhante ao do homem, só que recoberto de pelos.

Há ainda outra excentricidade, que aproxima o Capelobo do Saci: segundo alguns estudiosos, ele possui apenas uma perna – ou, pelo menos, uma única pata –, que é redonda como a do Pé de garrafa.

Como a maioria dos nossos monstros, o Capelobo também anuncia a sua chegada por meio de uma gritaria infernal.

O Capelobo costuma abraçar-se à sua vítima como a um velho amigo. Só que as amabilidades terminam quando ele introduz repentinamente a sua tromba aguda no crânio da vítima e põe-se a sugar aquele que parece ser o seu alimento predileto: o cérebro humano.

O Capelobo, no entanto, não é somente antropofágico: ele alimenta-se também de filhotes de cães e de gatos, e pode ser morto se for atingido, tal como o Mapinguari, bem no meio do umbigo.

CARBÚNCULO

O Carbúnculo é uma espécie de lagarto mágico que vive no Rio Grande do Sul.

Diz a lenda que um sacristão da igreja de São Tomé viu sair a criatura, certo dia, das águas de uma lagoa vizinha. Ela era parecida com um lagarto, só que enorme, levando na cabeça uma pedra tão brilhante que fazia ofuscar as vistas. Apesar da dificuldade em capturá-lo, o sacristão conseguiu apoderar-se dele e levá-lo para casa. Ali, ele descobriu, deliciado, que o Carbúnculo tinha o poder de dar riquezas infinitas ao seu possuidor, além de transformar-se, à noite, numa linda mulher.

O sacristão, então, passou a devotar todos os seus cuidados à criatura sobrenatural, esquecido de Deus e dos homens.

A inveja, porém, falou mais forte, e os homens de bem da cidade decidiram prender o ex-sacristão, condenando-o à morte. O Carbúnculo, porém, veio em seu socorro e, depois de espalhar a morte e a devastação, raptou o amigo das mãos dos seus carrascos, desaparecendo com ele.

Diz a lenda que o sacristão vive até hoje, no cerro do Jarau, em meio às riquezas, junto do seu amigo do peito, que à noite continua a se metamorfosear em bela ninfa.

O personagem, porém, não é cria nativa dos gaúchos. Segundo os estudiosos, ele está espalhado pelas regiões andinas, e até mesmo Flaubert chegou a invocá-lo em *A Tentação de Santo Antão*. Pertence ao ciclo das criaturas mágicas ocultadoras de tesouros, tradição que vem desde os mouros e, ainda mais remotamente, do antigo Oriente. Nas lendas mais antigas, o Carbúnculo só desperta de cem em cem anos, quando a pedra luminosa cai da sua testa.

CAVALO-MARINHO

O Cavalo-marinho é mais uma das tantas criaturas emersas do rio Amazonas, um rio tão pródigo delas. Ao contrário da maioria dos seus colegas, porém, esta criatura não é feroz nem tem o hábito de sair por aí exercitando os seus dotes sensuais de conquistador.

Seu pelo é alvíssimo – uma testemunha ocular afirma que ele possui tanto pelo nas ancas "que parecem um colchão" –, e sua crina, assim como a cauda, é tecida do mais puro ouro. Os olhos são tristes como os do ser humano, e na sua testa brilha uma estrela, que também é naturalmente dourada.

Nosso hipocampo brasileiro não está submetido a Netuno nem a deus algum. É um ser discreto e pacífico, que emerge e volta para as águas do Amazonas a seu bel-prazer.

Segundo os estudiosos, o Cavalo-marinho não pode ser criação indígena já que os nativos não conheciam o cavalo até a chegada dos portugueses. Porém, incorporado rapidamente às lendas nativas, o Cavalo-marinho tornou-se popular nas regiões amazônicas, onde continua a fazer suas aparições fugazes mas inesquecíveis.

Ninguém até hoje conseguiu extrair um só fio de ouro da sua crina ou da sua cauda.

CHIBAMBA

Oriundo de Minas Gerais, o Chibamba, embora esteja associado à mitologia indígena, tem um nome que trai sua origem africana ("chibamba", no dialeto bantu, é o nome de uma modalidade de canto).

Seja como for, o que precisamos saber acerca deste personagem é que ele é um ser todo recoberto por folhas de bananeiras e que sua função terrena é a de fazer sossegarem as crianças choronas.

Na verdade, tal como acontece com a Cuca e o Bicho-Papão, o que faz com que as crianças choronas cessem o seu berreiro é a ameaça da aparição do Chibamba, e não propriamente a sua aparição, coisa que as faria, certamente, redobrar de intensidade a sua alaúza.

O Chibamba não fala nem grita, apenas ronca como um porco e se apresenta executando os passos da dança que deu origem ao seu nome.

Os seus meios de atuação são desconhecidos. Sabe-se apenas que adora saborear uma criança chorona, embora suspeite-se que isto também não passe de mais um truque idealizado pelos pais para verem seus filhos cessarem o alarido.

CHUPA-CABRA

O Chupa-Cabra adquiriu uma notoriedade tão grande desde o seu aparecimento recente na região Sudeste que adquiriu o direito de figurar na condição de personagem folclórico desta e de várias outras coletâneas. Nem poderia ser diferente, já que o folclore, não sendo algo completo e acabado, como são as mitologias, está sempre apto a gerar novos seres e novas lendas.

Primeiro ente sobrenatural do folclore brasileiro a tirar sua origem de uma vida extraterrena – tal como a entendemos, modernamente –, o Chupa-Cabra ainda guarda em si a pureza feroz dos mitos recém-criados, bastando atentar-se para o seu nome de sabor autenticamente bárbaro.

O Chupa-Cabra, segundo a crença, é um ser alienígena feroz, oriundo de algum planeta desconhecido. Possui olhos vermelhos, três dedos de unhas afiadas e as costas cravejadas de espinhos. Sua maior paixão parece ser a de chupar o sangue das cabras ou de outros animais menores, como cães e galinhas, até privá-los da vida. Pouco mais se sabe acerca dele, pois ainda estamos na primeira percepção bárbara do mito, do ser misterioso e terrífico que, surgido abruptamente de regiões ignoradas, parece não querer outra coisa senão saciar a fome e devastar impunemente. Nesse sentido, ainda guarda a pureza da Boiúna e das serpentes aquáticas similares, simples máquinas de matar, singelas e amorais.

De qualquer forma, é certo que, com a chegada do Chupa-Cabra, o folclore brasileiro dá um salto gigantesco para o futuro. A partir dele, os monstros passam a cair também dos céus, como emergiam antes das águas e da terra, antigos e inesgotáveis viveiros de aberrações, ampliando extraordinariamente as possibilidades da invenção poética.

CUCA

Espécie anômala de bruxa, a Cuca é uma personagem importada de Portugal e da Espanha. No Brasil, goza de grande popularidade graças, em grande parte, à velha cantiga de ninar com que se apavoram, ainda hoje, as crianças do Brasil (*Nana, nenê, que a Cuca vem pegar*).

A versão mais prosaica costuma apresentar a Cuca como uma velha corcunda e magérrima, cujo ofício principal é o de raptar as crianças que se recusam a dormir, enfiando-as dentro de um saco.

Existe, porém, uma versão, muito mais criativa, que enriquece sua figura de detalhes exóticos. Aqui ela é apresentada como uma espécie de dragão – ou jacaré, como se via nos velhos episódios televisivos do *Sítio do Picapau Amarelo* –, com pernas esquálidas de grilo, asas estendidas e uma cauda enorme. (Na Galícia ou no Minho, exibia-se uma criatura idêntica, nas procissões de Corpus Christi.)

Cuca, segundo os estudiosos, provém de "cabeça", ou "coca", do castelhano antigo, um espectro que costumava, nos tempos idos, assombrar os *niños* de lá.

CURUPIRA

Tal como o Saci, o Curupira é um dos personagens mais populares do nosso folclore. Apesar de ter-se originado de alguns mitos indígenas, ao longo do tempo o moleque dos pés virados foi ganhando predicados importados, a ponto de transformar-se num híbrido de duende europeu com mito brasílico.

Dois traços seus são fundamentais, e não há quem não os conheça: os já referidos pés invertidos e a cabeleira vermelha, traço aproximativo que o liga ao Saci, com sua carapuça da mesma cor. Existem, porém, outras características menos conhecidas. Uma delas é o fato de ele não possuir orifício algum no corpo.

O Curupira é uma espécie de duende guardião das florestas. Quando o tempo está para chuva, ele costuma bater com um bordão nos troncos das árvores para alertá-las sobre a chegada das tempestades. Outros dizem que é para confundir os intrusos das matas, tirando-lhes o rumo de casa.

Quando Anchieta e seus amigos chegaram ao Brasil, o Curupira já era conhecido pelas matas como o terror dos índios (apesar de proteger a floresta, ele nunca foi muito amigo dos silvícolas, que lhe devotam grande medo) e só era aplacado em sua perversidade por generosas ofertas.

Curupiras existem por todo o mundo, com vários nomes. Onde houver uma floresta, torna-se inevitável o seu surgimento. Num mesmo país ele pode surgir com várias denominações. É assim que o Curupira, saindo da Amazônia, passa a chamar-se Caipora em outras regiões, sofrendo, nesta viagem, algumas rudes mutações. (Este Caipora, ou Caapora, segundo alguns estudiosos, é um brutamontes peludo montado num porco-do-mato, podendo ser, também, uma megera ciumenta com os mesmos atributos de fiscal da caça.)

Seu traço mais marcante, os pés virados, é uma característica clássica extraída dos bestiários europeus, que os padres portugueses trouxeram na bagagem juntamente com Tomás de Aquino e Santo Agostinho.

Apesar de hábil nas artes de enganar, o Curupira também pode ser feito de bobo. Se alguém estiver sendo perseguido por ele, basta largar pelo caminho alguns cipós trançados. Ele não resiste ao desejo de parar para desfazê-los, um a um, situação que remete, outra vez, aos velhos mitos: Atalanta, em sua corrida, tem de parar para recolher os frutos dourados que o rival Hipomenes deixa cair ao chão.

Mescla que seja de mitos indígenas e europeus, a verdade é que o Curupira, tal como o tempo e o povo o plasmaram, continua a ser uma das figuras mais queridas do nosso imaginário coletivo.

GORJALA

O Gorjala é um gigante todo preto oriundo do Norte do Brasil.

Sua figura está associada à dos gigantes tradicionais do fabulário universal e se constitui numa espécie de Polifemo ou de um Golias barrocamente exacerbado, provavelmente importado e aclimatado às nossas florestas, já que nossos índios nunca foram apaixonados por gigantes.

O próprio nome Gorjala remete à indumentária medieval europeia: gorjal era uma peça da armadura dos cavaleiros andantes, destinada a proteger a garganta, ou a *gorja*, como se dizia arcaicamente ("Mentes pela gorja, vilão!", era um dos reptos preferidos das velhas gestas portuguesas). Dessa associação, passou-se inevitavelmente à imagem de um ser com a boca desproporcional.

Ele costuma ocultar-se nas serras e nos penhascos cobertos de fraturas e escarpas pois adora, nos seus momentos de ação, empreender longas caminhadas sobre os abismos e os precipícios, vencendo-os em largas passadas, como se nada fossem.

Espécie de guardião ancestral das florestas, tem função similar à da maioria dos seus colegas de ofício, que é a de perseguir até a morte os invasores dos seus verdes domínios.

Tal como o Mapinguari, o Gorjala tem o hábito horripilante de enfiar a sua presa debaixo do sovaco e ir comendo-a aos pedacinhos. Esta presa é geralmente um caçador extraviado, e seus gritos lancinantes soam para o nosso colosso de ébano como o canto harmonioso da mais afinada das aves.

IARA

Iara é uma deturpação pseudoindigenista que se fez à figura da Cobra-Grande, um dos mitos fluviais mais importantes da Amazônia. Também chamada de Mãe-d'Água, ela assumiu quase todas as características de uma sereia, chegando a ser apresentada, muitas vezes, com o rabo escamado delas.

O mito do Ipupiara, um homem-marinho que saía das águas para matar os índios, parece também ter exercido influência na conformação original da Iara. Criaturas saindo de dentro das águas para espalhar a devastação é uma constante no imaginário indígena. Os acréscimos fantásticos, porém, como cantorias lúbricas e ofertas de tesouros ocultos para atrair as vítimas, são sempre desenvolvimentos posteriores, fruto da miscigenação operada entre o mito indígena e as lendas trazidas pelo colonizador europeu.

De modo geral, a Iara é apresentada como uma criatura loira e de olhos acintosamente azuis (embora alguém tente, vez por outra, dar-lhe aspectos indígenas, a teimosia popular retrocede sempre ao padrão clássico da mulher-peixe de traços germânicos). Dotada de voz maviosa, é com seu canto arrebatador que a sereia tenta atrair os caboclos para o fundo das águas, onde habita um castelo submerso repleto de riquezas.

É certo que a tradição das mouras encantadas, guardiãs de tesouros submersos ou escondidos em grutas, popularíssima em Portugal, também exerceu grande influência sobre a nossa Iara.

Também não se pode esquecer a influência africana: Iemanjá e Oxum, divindades aquáticas, não raro se apresentam sob a figura de mulheres de cor branca e vestes vaporosamente azuis, que remetem, de uma forma ou de outra, à figura obsessiva da sereia.

IPUPIARA

Se formos dar crédito a um certo Baltazar Ferreira, o Ipupiara, monstro marinho devorador de gente, deixou de existir em 1564. Esse senhor afirma categoricamente ter matado o monstro, a espada, na localidade de São Vicente, naquele distante alvorecer da nacionalidade.

Para não deixar dúvida, ele descreve a criatura como tendo "quinze palmos de comprido", toda recoberta de pelos, além de ter no focinho "umas sedas mui grandes como bigodes".

José de Anchieta, sempre interessado nos disfarces do demo, também ouviu falar no ser monstruoso, embora jamais o tenha visto, e muito menos lutado num corpo a corpo com ele.

O Ipupiara, segundo o melhor entendimento, pertence à classe dos seres marinhos devastadores, como a Cobra-Grande e a Boiúna. Sem ser uma cobra, ele participa da mesma espécie na medida em que se trata de uma simples máquina de matar, apesar do epíteto que lhe aplicaram de "homem-marinho".

Um traço singular é que o Ipupiara, depois de virar os barcos ou as canoas, só se alimenta dos olhos e do nariz das suas vítimas, lançando fora todo o resto. (Um cronista mais antigo – o padre Fernão Cardim – afirma que o Ipupiara também se alimentava da genitália e das pontas dos dedos dos pés e das mãos das suas vítimas.)

O Ipupiara possui fêmea, também, segundo esse mesmo cronista, de cabelos longos e formosa, uma possível antecipação da Iara loira com feitio de sereia, que tanto sucesso ainda faria. Para esse padre-cronista, o homem-peixe mata da seguinte maneira: surgido abruptamente das águas remansosas, ele se abraça à sua vítima, num espavento de respingos, "beijando-a" tão fortemente que a deixa "toda em pedaços". Depois, dando "alguns gemidos, como de sentimento", foge com a presa, ou abandona-a, sem mesmo dela se alimentar.

Assim como mata, porém, o Ipupiara também pode ser morto de qualquer maneira, o que nos leva a dar algum crédito à pretensa façanha do sr. Baltazar Ferreira.

JURUPARI

Segundo os primeiros colonizadores portugueses, antes mesmo de eles chegarem ao Brasil o Diabo já reinava com plena soberania em todas as nossas matas. Disfarçado sob o pseudônimo de Jurupari, era ele quem arrastava para o inferno os silvícolas, algo que só começou a ter fim quando Cabral desembarcou em nossas praias trazendo consigo a Cruz Redentora.

Segundo a maioria das versões indígenas, o Jurupari é, de fato, uma entidade maléfica, cujo âmbito de ação predileto é o pesadelo – segundo algumas fontes, seu próprio nome, Jurupari, significa "o que vem ao leito" –, o que não implica dizer que ele seja necessariamente o Diabo dos cristãos.

Existe uma segunda versão que coloca o Jurupari como uma espécie de legislador divino benéfico. Segundo essa mesma versão, Jurupari seria filho do Sol e de uma virgem, tendo vindo ao mundo com a missão de procurar uma esposa para o pai.

Mas a versão mais popular continua a situar o Jurupari como um deus maléfico, antítese de Tupã, espécie de espírito do trovão, que os jesuítas também falsearam, transformando-o no Deus do catecismo.

Quanto ao seu aspecto, ninguém até hoje se preocupou em lhe dar uma forma precisa. Alguns ilustradores modernos, na falta de dados mais precisos, costumam pintá-lo como um ser coberto de folhas ou de flores, uma vez que ele provém das profundezas das matas.

Como quase tudo, porém, nas florestas está associado também às aves, Jurupari não escapou de ter uma ligação estreita com elas. Os tupinambás, por exemplo, acreditam que ele mantinha relações sexuais frequentes com certas aves de mau agouro, e que elas depois chocavam os seus ovos.

LABATUT

Caso raríssimo de entidade monstruosa derivada de um ser humano real e plenamente identificável, o Labatut é uma homenagem que o nosso folclore prestou a uma das figuras mais violentas que já pisaram o nosso solo, o general francês Pierre Labatut, oficial de Napoleão.

Antes de morrer e converter-se em monstro, Labatut exerceu diversos cargos na corte brasileira, ainda sob o reinado de D. Pedro I. Dentre outras missões, Labatut tomou parte nas chamadas Guerras da Independência, na Bahia, além de ter chefiado, posteriormente, uma expedição desastrada ao Rio Grande do Sul, durante a Guerra dos Farrapos.

Muitos soldados que serviram sob o seu comando sofreram maus-tratos, de tal forma que, por mais de uma vez, o militar francês viu-se obrigado a enfrentar e debelar rebeliões.

Segundo o depoimento dos seus contemporâneos, Labatut possuía características físicas exacerbadas que já prenunciavam o monstro do futuro: tamanho agigantado, pés enormes e a voz retumbante.

Mas foi só depois de morto que Labatut foi convertido pela imaginação popular num ente feroz, considerado mais perigoso do que o próprio Lobisomem.

Segundo os mais fidedignos estudiosos do assunto, o Labatut é um ogro de porte avantajado e cabelos compridos e desgrenhados. Seu corpo está coberto de espinhos tão duros quanto os do porco-espinho, e seus pés são redondos como os de um elefante. Nesse último aspecto, ele guarda uma similitude evidente com o sinistro e informe Pé de garrafa, uma das criações mais sutilmente surreais do nosso panteão nacional de monstros.

Seu rosto emoldurado pelas grenhas revoltas se destaca, acima de tudo, pelo único olho que tem fincado no centro da testa, embora as presas longas e aguçadas que lhe escapam dos dois cantos da boca exerçam, num segundo momento, um impacto ainda mais dilacerante sobre as suas vítimas.

Labatut mora em uma região situada entre o Ceará e o Rio Grande do Norte, e ali vive em estado de fome permanente. Seu alimento predileto são as crianças, e sua maneira de atacar é sutil e insidiosa. Labatut prefere colar o ouvido nas portas ou introduzir o seu olho pelo buraco da fechadura antes de efetuar o ataque.

LOBISOMEM

O Lobisomem dispensa maiores apresentações. Não há quem não o conheça das suas terrificantes aparições cinematográficas ou literárias: o homem transformado em lobo que, nas noites de lua cheia, sai para abastecer-se da sua ração regular de sangue humano.

Há, contudo, alguns detalhes curiosos que poucos conhecem.

Por exemplo: que o caçula de uma família de sete filhos homens será, infalivelmente, um lobisomem, assim como a sétima filha de sete irmãs está fadada a ser bruxa. Diz-se, também, que ao sofrer o desencanto, bem na hora em que o galo canta, o homem-lobo pode deixar definitivamente de ser lobo, bastando que algum corajoso tire, nesta hora mágica, um pouco do seu sangue.

O Lobisomem, na verdade, é um ser importado das regiões europeias onde o lobo, muito mais do que aqui, abunda por todas as florestas. (Não se conhece nas nossas lendas indígenas algum silvícola que, nas noites de lua cheia, tenha virado lobo para ir saciar a sua sede de sangue humano.)

Enquanto não vira lobo, ele se apresenta sempre com o aspecto de um homem magérrimo, de tez amarelada e aspecto doentio.

Às vezes, nos fundões do Brasil, o nosso caipira troca o lobo pelo porco, mais brasileiro. No "Inquérito do Saci" promovido por Monteiro Lobato, em 1917, há o depoimento de um senhor que jura ter visto um homem transformar-se em um porco "calçado de botinas" e sair por aí a comer sabão e lamber tachos de gordura. Ainda assim, o depoente persiste em chamá-lo de Lobisomem.

Não existe mulher-lobisomem. O máximo que se conseguiu, nesse sentido, foram aproximações inócuas, como a Mula sem Cabeça ou a Cachorra da Palmeira.

LOIRA DO BANHEIRO

Outra invenção recentíssima, em termos folclóricos. Junto com o Chupa-Cabra, a intrigante Loira vem acrescentar novos e curiosíssimos elementos ao folclore urbano, esta parte tão negligenciada pelos estudiosos acadêmicos do imaginário oral e popular.

Mas quem é essa figura?

A Loira do Banheiro, como o próprio nome diz, é uma entidade misteriosa – possivelmente um espectro – que tem seu habitat natural nos banheiros públicos, preferencialmente os escolares.

Também chamada de Mulher-Algodão, pelo fato de ter a boca e as narinas entupidas de algodão, ela costuma aparecer nos banheiros femininos sempre que alguma frequentadora desavisada e solitária ali se introduz (ela nunca aparece a mais de uma pessoa e jamais torna categórica a sua existência).

As vestes da Loira são brancas, decerto para misturar-se mais eficientemente aos ladrilhos e às lajotas.

Há um meio considerado infalível para invocá-la. Assim, toda garota que quiser travar um conhecimento mais íntimo com a Loira deverá entrar na última cabine do banheiro e puxar a descarga por três vezes, dizendo solenemente: "Loira um, Loira dois, Loira três!". O porquê das três repetições não se sabe.

Quando a invocação é feita com sucesso, diz-se que a Loira surge refletida no espelho, tentando atrair para dentro dele a sua vítima, a fim, decerto, de povoar a sua solidão.

Sua presença, por enquanto, está restrita a São Paulo e ao Centro-Sul.

MAPINGUARI

Cria do Amazonas, o Mapinguari é um dos monstros mais originais da nossa extravagante galeria. As descrições acerca dele variam muito pouco de autor para autor, de modo que podemos traçar um quadro razoavelmente seguro das suas exorbitâncias físicas.

Sua forma básica parece ser a de um grande macaco. Um macaco naturalmente peludo, mas não inteiramente, já que ele não possui pelo algum na região do umbigo. Este, aliás, é o seu calcanhar de Aquiles, pois um Mapinguari só pode ser morto se for atingido nesse local.

Logo acima do umbigo, mais exatamente na altura do estômago, fica a sua boca. Para fechar o quadro das descrições, é preciso dizer, ainda, que ele possui um par de cascos de burro voltados para trás. (Daí a origem do seu nome indígena Mapinguari, ou seja, "aquele que tem os pés virados".)

Quanto às refeições, o Mapinguari costuma fazê-las durante o dia, preferencialmente por ocasião do pôr do sol. Antes, porém, que caiamos na tentação de enxergar aqui algum lirismo ecológico – *a criatura genuinamente nacional a devorar o seu honesto repasto à luz do deslumbrante crepúsculo amazônico* –, saibamos desde já que nós, seres humanos, somos o seu prato predileto.

Um detalhe importante: o Mapinguari só come a cabeça das pessoas.

Os antropólogos não descartam a possibilidade de haver aqui algum simbolismo psicológico ancestral do tipo "aí está o que acontece quando o sujeito vira bicho e perde a cabeça" –, mas o mais provável mesmo é que o Mapinguari simplesmente goste de comer cérebro.

MULA SEM CABEÇA

Não há quem não saiba, por todos estes sertões do Brasil, que mulher que se casa com padre, cedo ou tarde, vira Mula sem Cabeça.

Essa é a gênese clássica de uma das criaturas assombrosas mais populares do imaginário brasileiro. A sua contrapartida masculina, o Cavalo sem Cabeça – ou seja, o homem que se casa com uma freira –, nem de longe gozou da mesma popularidade, comprovando o triunfo do preconceito machista. (O Brasil parece ser um dos poucos lugares do mundo onde a transformação da mulher em mula ou outro animal qualquer está associada diretamente a uma punição moral.)

Apesar de não possuir cabeça, no lugar onde ela deveria estar pode-se ver, nas noites apavorantes em que a criatura surge, o expelir irado de jatos de fogo. Além de lançar fogo pelas ventas invisíveis, ela relincha de maneira mil vezes mais audível do que uma mula normal.

Outro detalhe notável é o fato de ela carregar no pescoço imaginário o freio de ferro. Quem conseguir arrancá-lo, quebra o feitiço, voltando a ter nos braços a mulher original. Antes, porém, de tentar a proeza, é preciso tomar o cuidado de esconder bem as unhas e os dentes, pois, por alguma razão, ela odeia estas duas coisas. (Há quem diga que ela se alimenta dessas duas coisas, por mais absurdo que pareça.)

Suas patadas são mortíferas, e seu galope, quase impossível de ser detido, daí a razão de ninguém ainda ter conseguido extrair-lhe o freio orlado de sangue dos dentes invisíveis.

O pelo, segundo o entendimento da maioria dos estudiosos, é negro. Às vezes, acrescentam-lhe, por ornato, uma cruz de cabelos brancos, para evidenciar a sua origem sacrílega. Já o rabo é uma espécie de farol traseiro, reluzindo na noite como um facho de luz.

A Mula sem Cabeça nos veio de Portugal e arredores. A razão de o animal ser uma mula parece ser a de que os prelados costumavam seguir, em suas andanças piedosas, trepados numa mula, montaria ideal para vencer terrenos acidentados.

PAI DO MATO

O Pai do Mato é uma criatura do nosso folclore que lembra muito o deus Pã dos gregos ou, mais modernamente, os *ents*, aqueles guardiões das florestas com formato de árvore e cara de gente.

O Pai do Mato é maior do que qualquer árvore conhecida, anda todo despenteado, possui uma barbicha, orelhas de cavalo e patas de cabrito. Sua coloração é a mesma de um porco preto enlameado, e sua urina possui uma tonalidade surrealmente azul.

Mas o seu traço mais marcante é, sem dúvida alguma, o tamanho disparatado das suas unhas, que podem alcançar até dez metros de comprimento, embora sua finalidade pareça ser meramente ornamental.

A exemplo do Mapinguari, ele tem o seu ponto fraco no umbigo, que a natureza, por algum motivo absurdo, resolveu destacar com um círculo, tornando-o, assim, um alvo perfeito para a mira dos caçadores ou de qualquer um que se anime a enfrentá-lo. (Não está descartada, contudo, a possibilidade de tratar-se de alguma artimanha natural destinada a atrair a presunção do oponente, já que, segundo a crença arraigada, nem bala, nem faca o matam.)

O Pai do Mato é barulhento como a maioria dos nossos monstros, só que adora também gargalhar estentoreamente, sabe-se lá do quê.

É originário de Pernambuco e de Rondônia.

PISADEIRA

O estado de São Paulo e os arredores de Minas Gerais são as duas regiões onde a Pisadeira, esta verdadeira cria da noite, costuma surgir para espalhar o seu cortejo horrendo de pesadelos.

Hoje é coisa firmada entre os eruditos que a Pisadeira é um mito importado de Portugal, com nome e tudo. Mas não é exclusivo de lá nem de lugar algum, pois desde sempre os povos se acostumaram à presença incômoda desse ser maléfico, cuja distração predileta é a de sentar-se sobre o estômago do adormecido, impedindo-lhe a respiração.

Versão popular dos demônios noturnos, a Pisadeira é uma alegoria evidente da indigestão, moléstia noturna que a insaciável fantasia humana dotou de causas sobrenaturais. (Não é por acaso que a palavra pesadelo provém de "peso".)

O local preferido da Pisadeira são os telhados e as chaminés, por onde ela se introduz logo no começo da noite para dar exercício, mais tarde, às suas atividades noturnas de perturbadora do sono.

Prima-irmã do Fradinho da Mão Furada – também este um ente genuinamente português – e do nosso brasileiríssimo Jurupari, ambos versados nas artes do pesadelo, a Pisadeira tem as feições clássicas da bruxa: nariz adunco cutucando o queixo apontado para cima, os olhos chispantes e as gadeias esparramadas. Apesar de magricela, ela sabe bem fazer-se pesar quando se acocora sobre o estômago da sua vítima (algo que faz com perfeita naturalidade, já que possui as pernas curtas).

Outro atributo fundamental da Pisadeira são as suas mãos enormes, de dedos aduncos e unhas afiadas. Quando ela pousa essas verdadeiras patas de megera sobre o estômago do glutão adormecido, é aí então que principia para ele o martírio noturno.

Mas a coisa pode ser ainda pior: quando a Pisadeira quer *mesmo* atrapalhar a vida da sua vítima, ela lhe pressiona o estômago com firmeza ainda maior, a fim de provocar um vômito que, pela posição do adormecido, pode levá-lo até a morte por sufocação

Na maioria das vezes, porém, após debater-se uma noite inteira, o mais terrível que pode suceder ao comilão ou beberrão imprudente é acordar na manhã seguinte com as faces arranhadas pelas unhas aduncas da demônia e um belo par de olheiras.

PRINCESA DE JERICOACOARA

A exemplo da Alamoa e das Mães do Ouro espalhadas por todo o Brasil, a Princesa de Jericoacoara é outra criatura da estirpe das princesas encantadas, guardiãs de tesouros em grutas ou cavernas, que tanto sucesso fizeram em Portugal, na versão das mouras encantadas.

Habitante do Ceará, ela tem sua morada na cidade que a imortalizou, Jericoacoara. Por artes de algum feitiço, a princesa, outrora bela e deslumbrante, está agora transformada numa serpente. Felizmente, sua cabeça permanece a mesma dos seus dias de beleza, bem como os seus pés.

Para desencantá-la, é preciso a coragem de um homem de verdade, disposto ao martírio, pois somente com o sacrifício de uma vida humana ela poderá retomar sua antiga forma (que se faça um sinal da cruz no dorso da cobra com o sangue do sacrificado é o que basta para o desmanche do feitiço). Então estarão abertos, como por mágica, os portões da gruta onde se oculta o palácio esplendoroso da princesa, repleto de todas as riquezas concebíveis deste mundo.

A riqueza, entretanto, será para os outros, não para o herói abnegado, a quem caberá apenas a honra eterna de ter liberado a mais linda das princesas do seu fado infeliz.

QUIBUNGO

O Quibungo é um dos personagens mais assustadores do nosso folclore, embora também não seja criação nativa das terras baianas, onde costuma atuar, mas uma adaptação do antiquíssimo Velho do Saco e de outros personagens assemelhados, espalhados por todo o mundo. (O Homem do Surrão português parece ser o seu protótipo mais próximo.)

Seu nome denuncia logo a sua origem africana, pois Quibungo significa "lobo".

Ao contrário da maioria dos nossos monstros, o Quibungo vive nos campos ao invés de nas matas. Ele é uma mistura de gente e de bicho, pendendo muito mais para o segundo.

Esse raptor de moleques, no entanto, não carrega consigo um saco ou o surrão legitimamente lusitano (uma espécie de bolsa ou sacola de couro) para enfiar as suas vítimas. Ao curvar-se para apanhá-las, uma fenda enorme abre-se nas suas costas, e é nessa caverna lombar que ele as introduz. O buraco torna a fechar-se naturalmente quando ele espicha-se todo outra vez.

Realmente, de meter medo.

Descreve-se normalmente esse ser hediondo como uma espécie de lobisomem ou, mais habitualmente, como um preto velho maltrapilho.

Felizmente, o Quibungo, à diferença das outras criaturas monstruosas, pode ser morto como qualquer homem normal.

SACI-PERERÊ

O Saci-pererê disputa, junto com o Curupira, o título de personagem mais famoso do nosso folclore. Sua figura é conhecida em todo o Brasil, mesmo nas regiões onde ele é menos "cultuado".

Mas nem sempre o Saci teve a figura que hoje conhecemos. Desde a sua primeira versão, ele sofreu uma série radical de alterações e acréscimos, até transformar-se na versão brasileira dos gnomos e duendes europeus que hoje conhecemos.

A versão mais autenticamente nacional do Saci é a indígena, que o apresenta como uma simples ave. (Matintapereira é uma das diversas aves às quais se atribui a gênese do mito, mas existe tanta controvérsia sobre o assunto que podemos estar certos de jamais virmos a saber a verdade.)

Segundo a crença, essa ave misteriosa tem por hábito fazer com que os viajantes se percam na floresta, graças ao poder do seu canto enganador – o que também não é nenhuma novidade, já que, espalhadas por toda a América Latina, abundam aves similares, a ponto de muitas delas também terem se convertido, com o passar dos anos, em clones do nosso Saci (o Crispin argentino, ou o Ecaco boliviano – com gorro vermelho e tudo – são apenas dois exemplares da enorme lista que se estende da Argentina ao México).

À medida que o mito desce para o centro-sul do Brasil, ele vai se transformando, por força da influência europeia e africana, até se converter no moleque que hoje conhecemos.

Segue uma breve descrição do Saci:

O Saci é um moleque de uma perna só – muito raramente apresentado com duas – e aparece geralmente nu, portando apenas uma carapuça vermelha na cabeça. (A carapuça mágica é um elemento importado de seus protótipos europeus – os anões e duendes também possuem gorros encantados, capazes de operar prodígios –, embora alguns nacionalistas inveterados queiram ver na carapuça uma mera adaptação da cabeleira vermelha do curupira, sem atentar para o fato de que também o nosso moleque dos pés invertidos está repleto de traços alienígenas.) Além de tornar o Saci invisível, a carapuça, uma vez arrancada da sua cabeça, tem o dom de premiar o ladrão com pedidos mágicos.

O Saci é personagem traquinas por excelência: além de extraviar viajantes e de promover toda sorte de bagunças no lar, gosta muito também de montar em cavalos e promover disparadas noturnas, fazendo uma maçaroca nas crinas dos bichos. Fuma feito um condenado e perde as estribeiras com todo viajante que se recusa a reabastecer o seu cachimbo. Anda invariavelmente no interior de um redemoinho e pode ser apanhado se o caçador de sacis atirar, bem no meio, uma peneira invertida, trançada em forma de cruz, ou um terço ou um rosário de capim. Alguns também o apresentam com as mãos furadas, outro detalhe importado, retirado do seu protótipo português, o Fradinho da Mão Furada, primo-irmão da Pisadeira e de outras entidades maléficas do pesadelo. (As mãos furadas são para impedir que a vítima morra sufocada durante as suas investidas noturnas.)

TUTU

Irmão do Bicho-Papão e do Boi da Cara Preta, o Tutu é uma criatura toda negra, sem ter, porém, forma discernível alguma. (A palavra Tutu, segundo Câmara Cascudo, provém do termo africano *quitutu*, que significa "ogro" ou "papão".)

Apesar de não ser tão popular quanto o Bicho-Papão, que chegou a virar termo proverbial, o Tutu é senhor dos terrores noturnos infantis na Bahia, em Pernambuco, no Rio de Janeiro e em Minas Gerais.

Existem várias modalidades da criatura, das quais a mais singular é a do Tutu-zambê, que, além de não possuir forma, não possui também a cabeça. Na Bahia, por sua vez, o Tutu deixa de ser uma mera sombra para assumir a forma explícita de um porco-do-mato, graças à semelhança dos termos *tutu* e *caititu*. (O caititu, ou *queixada*, é uma espécie de porco selvagem, montaria predileta do Caipora nortista.)

Segundo a crença, o Tutu persegue as crianças arteiras e, principalmente, aquelas que não querem dormir. O mito, segundo Câmara Cascudo, é importado da Europa e da África. Nossas mães indígenas, ao contrário, prefeririam invocar, numa admirável lição de delicadeza, o auxílio dos pássaros ou animais de sono prolongado, a fim de que o emprestassem a seus indiozinhos insones. (*Acatipuru, empresta teu sono / para meu filho dormir... / Iacuturu, empresta teu sono / para meu pequeno filho dormir...*, diz, como numa oração, o suave acalanto.)

ZUMBI

O Zumbi é outra criação brasileira calcada no tipo universalmente conhecido do morto-vivo, embora aqui ele seja um fantasma incorpóreo, e não um cadáver teleguiado, como estamos acostumados a ver nas recorrentes versões cinematográficas. Apesar disso, tornou-se quase impossível dissociar a imagem de um e de outro, de tal forma que, na mentalidade popular, os dois personagens tornaram-se sósias.

Na versão brasileira, porém, o Zumbi é mais "elétrico" e gosta de dar susto nas pessoas, enquanto o morto-vivo dos filmes, mesmo quando está empenhado em estraçalhar e matar, o faz mergulhado num estado de apatia catatônica.

Zumbi acabou tornando-se emblema, também, do maior herói negro da nossa nacionalidade, o guerreiro Zumbi dos Palmares, que nada tinha de apático.

Diz a nossa crendice – e este é um traço realmente original do nosso Zumbi – que, quanto mais perto a vítima está dele, mais ele cresce em estatura, inclinando-se para diante de uma forma sinistra.

Graças à origem africana do termo – *nzumbi*, "fantasma" –, o Zumbi é normalmente visto como um homem negro, mas nada impede que possamos ver passeando pelas nossas matas e cidades versões étnicas mais claras do ser amedrontador.

A fama do Zumbi é mais consistente nos estados da Bahia, do Rio, de Minas e de Sergipe.

FIM

BIBLIOGRAFIA

ARAÚJO, Antoracy Tortolero. *Lendas indígenas*. São Paulo: Editora do Brasil, 1999, 2ª ed.
BALDUS, Herbert. *Estórias e lendas dos índios*. São Paulo: Livraria Literart Editora, 1960, 1ª ed.
CASCUDO, Luís da Câmara. *Lendas brasileiras*. São Paulo: Global, 2007, 3ª ed.
—————————— *Literatura oral no Brasil*. Belo Horizonte: Itatiaia, 1984, 3ª ed.
—————————— *Contos tradicionais do Brasil*. São Paulo: Global, 2004, 13ª ed.
—————————— *Geografia dos mitos brasileiros*. São Paulo: Global, 2002, 2ª ed.
—————————— *Dicionário do folclore brasileiro*. São Paulo: Global, 2008, 11ª ed.
CORSO, Mário. *Monstruário*. Porto Alegre: Tomo Editorial, 2004, 2ª ed.
GARCIA, Luciana. *O mais legal do folclore*. São Paulo: Caramelo, 2003, 1ª ed.
—————————— *O mais assustador do folclore*. São Paulo: Caramelo, 2009, 3ª ed.
—————————— *O mais misterioso do folclore*. São Paulo: Caramelo, 2004, 1ª ed.
LISBOA, Henriqueta. *Literatura oral para a infância e a juventude*. São Paulo: Peirópolis, 2002, 1ª ed.
LOBATO, Monteiro. *O Saci-Pererê: resultado de um inquérito*. São Paulo: Globo, 2008, 1ª ed.
MÉTRAUX, Alfred. *A religião dos tupinambás*. São Paulo: Cia. Editora Nacional, 1979, 2ª ed.
ROMERO, Sílvio. *Contos populares do Brasil*. São Paulo: Martins Fontes, 2007, 1ª ed.
SALERNO, Silvana. *Viagem pelo Brasil em 52 Histórias*. São Paulo: Cia. das Letras, 2009, 1ª ed.
VÁRIOS AUTORES. *Lendas gaúchas*. Porto Alegre: Zero Hora Ed. Jornalística, 2000, vols. 1-5, 1ª ed.

lepmeditores

www.lpm.com.br
o site que conta tudo

Impresso na Gráfica COAN
Tubarão, SC, Brasil